D1155087

Lars Edlund

MODUS NOVUS

Lärobok i
ritonal melodiläsning

Lehrbuch in
freitonaler Melodielesung

Studies in
reading atonal melodies

NORDISKA MUSIKFÖRLAGET
STOCKHOLM

Wilhelm Hansen, Musik-Forlag
København

Norsk Musikforlag A/S
Oslo

J. & W. Chester Ltd.
London

Wilhelmiana Musikverlag
Frankfurt a. M.

Exclusive selling rights for Modus Novus in the U.S.A.:
Alexander Broude Inc., New York

FÖRORD.

Denna lärobok är ett försök att angripa notläsningsproblem i samband med 1900-talets icke dur/molltonala musik. Den har vuxit fram direkt ur författarens praktiska erfarenheter som lärare i gehörsutbildning vid Kungl. Musikhögskolan, Stockholm. En god notläsningskunskap inom dur/moll-tonaliteten är önskvärd, innan arbetet med följande material påbörjas. Författaren har i skriften »Om gehörsutbildning» (Nr 3 i serien Publikationer utgivna av Kungl. Musikaliska Akademien med Musikhögskolan, Stockholm 1963) kortfattat redogjort för det studium, som helst bör föregå det fritonala gehörs-studiet. I viss utsträckning och med vissa elever torde dock läroboken kunna studeras parallellt med dur/moll-tonalt gehörsarbete.

Denna bok tillägnas mina elever.

Södertälje i maj 1963.
Lars Edlund.

VORWORT.

Dieses Lehrbuch ist ein Versuch, das Problem des Notenlesens im Zusammenhang mit der nicht dur/moll-tonalen Musik des 20. Jahrhunderts in Angriff zu nehmen. Es ist direkt aus den praktischen Erfahrungen des Autors als Lehrer für Gehörausbildung an der Königlichen Musikhochschule in Stockholm hervorgegangen. Eine gute Kenntnis des Notenlesens innerhalb der Dur/Moll-Tonalität ist wünschenswert, ehe die Arbeit mit dem folgenden Material begonnen wird. Der Autor hat in der Schrift »Om gehörsutbildning«*) (Nr. 3 in der Serie Publikationer utgivna av Kungl. Musikaliska Akademien med Musikhögskolan, Stockholm 1963) kurz über das Studium berichtet, das dem freitonalen Gehörstudium am besten vorausgehen soll. In gewissem Ausmass und mit bestimmten Schülern dürfte jedoch das Lehrbuch parallel mit der dur/tonalen Gehörarbeit studiert werden können.

Dieses Buch ist meinen Schülern gewidmet.

Södertälje im Mai 1963.
Lars Edlund.

*) Über Gehörausbildung.

FOREWORD.

This text-book is an attempt to tackle the problems connected with the reading of 20th-century music that is not major/minor-tonal. It has been evolved out of the author's practical experience as a teacher in aural training at the Royal Academy of Music in Stockholm.It is desirable that the student should be proficient in reading major/minor-tonal music before he starts working with the following material. In my booklet "Om gehörsutbildning"*) (No. 3 in the serie Publikationer utgivna av Kungl. Musikaliska Akademien med Musikhögskolan, Stockholm, 1963), I gave a brief account of the studies which should preferably precede the aural training for atonal music. To some extent, however, and by some students, the book can be studied at the same time as aural training for major/minor-tonal music.

I dedicate this book to my pupils.

Södertälje, May, 1963.
Lars Edlund.

*) Concerning Aural Training.

INNEHÅLLSFÖRTECKNING

INHALT

REGISTER

INLEDNING

Gehörsutbildningens huvudmål bör vara att utveckla musikalisk receptivitet. De olika övningsmomenten, läsning (avistasång), diktat m. m., bör inte betraktas som mål i sig själva, utan som medel i strävan mot denna musikaliska receptivitet. Det rör sig om ett konkret studium: att utveckla förmågan till medveten och klar uppfattning av musikaliska strukturer. Denna uppfattningsförmåga är visserligen primärt beroende av snabb och exakt lästeknik och av de färdigheter som övas i det exakta diktatet, men den inkluderar även musikaliskt-emotionella moment. Det är viktigt att dessa moment ej går förlorade i gehörsstudiet. Den musikaliske yrkesmannen bör visserligen mera detaljerat än musiklyssnaren kunna redogöra för det *konstruktiva* i den musikaliska gestalten, den musikaliska gestiken, men viktigast för båda är det att äga känsla för nyanserna i uttrycket. För de flesta människor betyder väl också känslan för det musikaliska språkets nyanser mera än behärskningen av dess grammatik.

Denna bok vänder sig främst till musikstuderande och den behandlar i första hand melodiläsningen i samband med 1900-talets musik. Den traditionella gehörsutbildningen har haft sin förutsättning i dur/moll-tonaliteten och har haft som mål gehörsmässig behärskning av dur/moll-tonal musik. Gehörsmetodiken har alltså bestämts av det musikaliska stoffet och den har under denna epok grundats på den tonala kadensens lagar. Men med dur/moll-tonalitetens »sammanbrott» står vi inom gehörsutbildningen i en helt ny situation. Den traditionella gehörsmetodiken täcker inte 1900-talets musik. I och för sig är det naturligt, att få, om ens några, försök har gjorts på det gehörsmetodologiska planet i samband med musik efter dur/moll-epoken. Om vi nämligen förutsätter sanningen i att metodiken i stor utsträckning bestäms av studiestoffets art, så följer härav, att vi måste ha ett visst perspektiv på detta stoff, innan vi kan finna goda metodolodiska förslag. Vi måste ha perspektivet för att upptäcka de stoffets strukturer, på vilka vår metodik skall byggas.

Nu frågar vi: finns det inom den musik, som hittills komponerats under 1900-talet, några sådana logiska struktureringsprinciper. som kan tjäna som underlag för en gehörsmetodik? Tidigare var metodiken grundad på dur/moll-tonalitet med treklangen som klangligt fundament. Finns det i 1900-talets musik någon annan, lika klar tonalitetsprincip och någon lika klart uppfattbar klanglig fundamental-gestalt? — Vi måste givetvis besvara denna fråga med nej! Det studiematerial, som här överlämnas, har emellertid utformats kring *ett antal* klangliga och melodiska gestalter, som, enligt författarens uppfattning, har spelat en viss roll vid undvikandet av dur/moll-tonala bindningar inom 1900-talets musik. (När här talas om 1900-talet, så underförstås ungefär »första hälften av 1900-talet!» Gehörsmetodologiska problem i samband med den nyaste s.k. radikala musiken behandlas icke.) Dessa gestalter är, med hänsyn till vilka intervall de innehåller, grupperade i kapitel med stigande svårighetsgrad. Varje kapitel kan även sägas behandla ett eller flera särskilda intervall. Men en av författarens huvudteser är, att stor säkerhet i avläsandet och avsjungandet av *enskilda* intervall inte alltid är en garanti för säkerhet i fritonal *melodiläsning*. Detta beror på, att de flesta elever fortfarande upplever intervallen med dur/moll-tonala tydningar, vilket givetvis i sin tur sammanhänger med att den faktor, som sedan barndomen mest verksamt utformar vårt gehör, vår känsla för tonsammanhangen, ännu alltjämt är den dur/moll-tonala musiken.

Den gehörsmetodiskt viktigaste uppgiften blir alltså nu, att öva sådana *kombinationer av intervall*, som *stör* den dur/moll-tonala tydningen av varje enskilt intervall. Det står klart att det enskilda intervallet som självständig, »atonal» gestalt har stor betydelse i detta arbete. Men elevens behärskning (med öga och öra!) av intervall-läran i absolut mening är här bara en *förutsättning* för det fortsatta studiet, som författaren skulle vilja beteckna med ord som »gehörsmässigt gestalt-studium» eller dylikt!

Notläsningen är en svår konst och dess mekanik är en mycket komplicerad process. Tänk, som en jämförelse, på barnets möda att i sina första läsövningar föra samman bokstäver och stavelser till gestalter, som är språkliga symboler inte bara för konkreta ting utan även för abstrakta begrepp, kända eller okända för barnet. Notskriften står i ännu oklarare förhållande till det som den är symbol för: den klingande musiken, den mest abstrakta och begreppslösa av konstarter! Färdighet i notläsning kräver mycket arbete, särskilt efter de väldiga omvandlingar vår musikaliska samtid har bevittnat, bl. a. på tonalitetens område. Denna bok är ett försök att samla ett studiematerial för detta arbete. Det är författarens förhoppning att andra skall stimuleras att komplettera materialet med nya idéer och nya utgåvor!

STUDIEANVISNINGAR

Innehållet i bokens kapitel är principiellt uppbyggt kring följande rubriker:

1. Presentation av intervall-materialet.
2. Förövningar.
3. Melodier.
4. Ackord-serier.

Dessutom finns kapitel med »Melodiexempel från litteraturen» inlagda på fyra olika stadier i kapitelföljden.

Här ges några anvisningar på materialets pedagogiska användning:

Förövningar. Dessa består av ett 30-tal korta fraser uppbyggda på det aktuella intervallmaterialet. Fraserna kan användas på följande sätt:

(a) Frasen sjunges efter noterna.

(b) Eftersjungning. Eleven ser ej notbilden. Läraren namnger första tonen, spelar frasen. Eleven upprepar den med sång på tonnamn utan instrumentalt stöd.

(c) Efterspelning. Samma som (b), men eleven upprepar frasen på sitt instrument.

(d) Lokalisera avvikelser från notbilden. Eleven ser noterna. Läraren spelar eller sjunger frasen med någon eller några toner fel. Eleven analyserar »felspelningen».

(e) Diktat. Läraren uppger första tonens namn (och event. även taktart), spelar igenom frasen (vid behov flera gånger). Eleven sjunger frasen (ej på tonnamn!), varefter den noteras.

(f) Efterspelning eller eftersjungning i transponerat läge. Detta är ett moment som är särskilt viktigt för elever med olika former av absolut gehör. Se särskild rubrik sid. 8.

Nu gör man givetvis *inte* så, att man först arbetar med förövning nr 1 enligt momenten (a)—(f). Då bleve exempelvis diktatet en nog så väl förberedd uppgift. Principen bör i stället vara den, att man går igenom alla (eller ett flertal av) förövningarna enligt *något* av momenten, exempelvis enligt (a), varefter man börjar från början och utför dem som (d), (e) eller dylikt. Fraserna är tillräckligt många och ofta tillräckligt lika varandra för att man inte skall lära dem utantill efter ett övningsmoment.

En del av förövningarna är noterade med enbart svarta nothuvuden. Meningen är att de skall sjungas på tonnamn från olika utgångspunkter och med olika rytmiseringar, exempelvis enligt följande formler:

Melodier. Melodierna skall sjungas av eleven på lämplig stavelse, ej på tonnamn. De skall av läraren ges som läxor, som kontrolleras! Instuderingen får självfallet inte ske med stöd av piano e.d., men däremot bör man ibland kontrollera sig vid ett *välstämt* piano. Stor vikt lägges vid avläsandet och upplevandet av de melodiska gestalterna och deras organiska sammanhang i det melodiska skeendet. Se kommentaren till melodi nr 1, Kap. I (sid. 22). Vid kontrollen av elevernas sång bör läraren klart skilja emellan sådana felsjungningar som beror på osäkerhet på intervallet som sådant och sådana som har med intonationen att göra. Båda felen skall givetvis angripas. Beträffande intonationen: Om man önskar att melodiernas slutton skall överensstämma med motsvarande ton på ett välstämt klaver, så måste man sjunga »vältempererat»!

I metodologiskt hänseende finns ingen anledning att hysa överdriven rädsla för elevens eventuella benägenhet att avläsa och uppleva dur/moll-tonala celler i melodierna. Om eleven bara vänjer sig vid de täta »mutationerna» dessa celler emellan, så främjas notläsnings-rutinen, trots denna dur/moll-tonala intolkning. Med större erfarenhet försvinner behovet av den.

Melodierna har komponerats av författaren.

Ackordserier. Känslan för klang spelar en mycket stor roll i vår tids musik. Detta gäller såväl harmoniken som den klangliga koloriten. Särskilt den allra senaste, på klangen starkt koncentrerade musiken, kräver nya initiativ inom gehörsutbildningen.

De här meddelade ackord-serierna kan bl. a. användas på följande sätt:

(a) Ackord-diktat. Eleven ser ej noterna. Läraren uppger första tonen, spelar sedan varje ackord, förslagsvis två gånger med c:a 5 sek. mellanrum. Eleven noterar. Det noterade genomgås och kontrolleras.

(b) Eleven ser noterna. Eleven anslår ackorden ett och ett, låter varje klang ljuda medan han sjunger ackordtonerna på tonnamn nedifrån och upp.

(c) Eleven ser noterna. Han anslår ackorden ett och ett. Medan ett ackord ljuder förutsätter han sig sjunga på tonnamn en viss ton ur det ljudande ackordet. Han kontrollerar sig.

Melodiexempel från litteraturen. Litteratur-exemplen kan användas på samma sätt som förövningarna och melodierna. Många av dem är på grund av omfång och läge inte möjliga att sjunga. Arbetsmomenten under »Förövningar», sid. 7, ger förslag på hur dessa citat kan användas. Läraren bör om möjligt ge eleven en föreställning om den fullständiga kompositoriska situation, vari citaten ursprungligen förekommer. Av denna anledning inleds dessa kapitel med citat av en källförteckning med exakta sidhänvisningar till tillgängliga utgåvor. — Citaten är hämtade från ett begränsat urval av 1900-talets klassiker och från några svenska tonsättare.

ABSOLUT GEHÖR OCH MELODILÄSNING

Särskilda problem möter i samband med *absolut gehör.* Elever med ett perfekt s.k. *aktivt* absolut gehör har i regel få svårigheter i gehörsstudiet, när det gäller melodik och harmonik. De som har s.k. *passivt* absolut gehör, d.v.s. de, som kan höra vilka toner som sjungs eller anslås på piano eller annat instrument, men som inte lika säkert kan sjunga noterad eller begärd ton, dessa elever befinner sig ofta i en besvärlig mellanställning inför fritonala notläsningsuppgifter. Så länge uppgifterna gäller dur/moll-funktionell melodik kan detta passiva gehör fungera utmärkt. Det absoluta gehöret är ju till största delen en form av *minne*, och här utgör minnesobjekten förmodligen både absoluta tonhöjder och dur/moll-tonalitetens formelförråd. Klart är dock, att elever med denna passiva form av absolut gehör, mera sällan tänker på vilket intervall de sjunger och än mindre på den tonala funktion ifrågavarande intervall för tillfället har. När de så ställs inför uppgifter i melodiläsning där de dur/molltonala-funktionerna är störda och försvagade, visar det sig ofta att de även har föga hjälp av sitt minne för tonhöjder (av »tangenter»!) och i denna situation blir också deras bristfälliga intervallkunskap uppenbar. Dessa elever, som kan berömma sig av s.k. absolut gehör, är alltså inte sällan svaga i fritonal melodiläsning. De är dåliga »gestaltavläsare». Samma elever kan emellertid ofta med stor säkerhet reagera inför gjorda felspelningar i ett fritonalt exempel. Det är mycket viktigt att denna typ av elever medvetet övar sig att producera de intervallkombinationer och melodiska gestalter som är av grundläggande betydelse i denna lärobok. *Därvid bör de tänka mera på intervallen och deras melodiska funktion än på de absoluta tonnamnen.* För dessa elever är transponeringsuppgifter, sjungna utifrån gestaltupplevelsen och *utan tonnamn!*, särskilt viktiga övningar. Se sid. 7, moment (e) och (f)!

RYTM-STUDIET

Denna bok upptar inga särskilda rytm-övningar. Många av melodierna och litteratur-citaten har emellertid en ganska komplicerad rytm. Det är av vikt att denna utförs med omsorg. För en systematisk träning i rytm-läsning och rytm-gestaltning hänvisas till Jørgen Jersild: Laerebog i Rytmelaesning (Köpenhamn 1962).

EINLEITUNG.

Das Hauptziel der Gehörausbildung soll die Entwicklung der musikalischen Rezeptivität sein. Die verschiedenen Übungsmomente, Lesen (Avista-Gesang), Diktat usw. sollen nicht als Ziel an sich betrachtet werden, sondern als Mittel im Streben nach dieser musikalischen Rezeptivität. Es handelt sich um ein konkretes Studium: das Vermögen der bewussten und klaren Auffassung der musikalischen Strukturen zu entwickeln. Dieses Auffassungsvermögen ist allerdings primär von schneller und exakter Lesetechnik abhängig und von der im exakten Diktat geübten Fertigkeit; doch es schliesst auch musikalisch-emotionelle Momente ein. Es ist wichtig, dass diese Momente beim Gehörstudium nicht verlorengehen. Der Berufmusiker soll allerdings eingehender als der Musikhörer über das *Konstruktive* in der musikalischen Gestalt, der musikalischen Gestik, berichten können; aber am wichtigsten für beide ist es, ein Gefühl für die Nuancen im Ausdruck zu besitzen. Für die meisten Menschen bedeutet wohl auch das Gefühl für die Nuancen der musikalischen Sprache mehr als die technische Beherrschung ihrer Grammatik.

Dieses Buch wendet sich vor allem an Studierende der Musik und behandelt in erster Linie das Melodienlesen im Zusammenhang mit der Musik des 20. Jahrhunderts. Die traditionelle Gehörausbildung hatte ihre Voraussetzung in der Dur/Moll-Tonalität und hatte die gehörmässige Beherrschung der dur/molltonalen Musik zum Ziel. Die Gehörmethodik wurde also vom musikalischen Stoff bestimmt und in dieser Epoche auf die Gesetze der tonalen Kadenz gegründet. Aber mit dem »Zusammenbruch« der Dur/Moll-Tonalität befinden wir uns mit der Gehörausbildung in einer völlig neuen Situation. Die traditionelle Gehörmethodik deckt nicht die Musik des 20. Jahrhunderts. An und für sich ist es natürlich, dass wenige, wenn überhaupt einige Versuche auf der gehörmethodologischen Ebene im Zusammenhang mit Musik nach der Dur/Moll-Epoche gemacht wurden. Wenn wir nämlich als Wahrheit voraussetzen, dass die Methodik weitgehend von der Art des Studienstoffes bestimmt wird, so folgt daraus, dass wir eine gewisse Perspektive über diesen Stoff besitzen müssen, ehe wir gute methodologische Vorschläge finden können. Wir müssen diese Perspektive haben, um jene Strukturen des Stoffes zu entdecken, auf die unsere Methodik aufgebaut werden soll.

Nun fragen wir: gibt es in der Musik, die bisher im 20. Jahrhundert komponiert wurde, einige solche logische Strukturierungsprinzipien, die als Unterlage für eine Gehörmethodik dienen können? Früher war die Methodik auf die Dur/Moll-Tonalität mit dem Dreiklang als klanglichem Fundament gegründet. Gibt es in der Musik des 20. Jahrhunderts ein anderes, ebenso klares Tonalitätsprinzip und eine ebenso klar erfassbare klanglische Fundamentalgestalt? — Wir müssen selbstverständlich diese Frage mit Nein beantworten! Das hier vorgelegte Studienmaterial wurde jedoch um *eine Anzahl* klanglicher und melodischer Gestalten geformt, die nach Ansicht des Autors eine gewisse Rolle beim Vermeiden von dur/moll-tonalen Bindungen in der Musik des 20. Jahrhunderts gespielt haben. (Wenn hier vom 20. Jahrhundert gesprochen wird, so ist etwa »die erste Hälfte des 20. Jahrhunderts« gemeint! Gehörmethodologische Probleme in Verbindung mit der neusten sog. Radikalmusik werden nicht behandelt.) Diese Gestalten sind mit Rücksicht darauf, welches Intervall sie enthalten, in Kapitel mit steigendem Schwierigkeitsgrad gruppiert. Man kann auch sagen, jedes Kapitel behandelt ein oder mehrere besondere Intervalle. Aber eine der Hauptthesen des Autors ist die, dass grosse Sicherheit im Ablesen und Absingen von *besonderen* Intervallen nicht immer eine Garantie für die Sicherheit im freitonalen Melodienlesen ist. Das beruht darauf, dass die meisten Schüler das Intervall noch immer mit dur/moll-tonalen Deutungen erleben, was natürlich mit jenem Faktor zusammenhängt, der von Kindheit an unser Gehör am wirksamsten formt: dass das Gefühl für den Tonzusammenhang noch immer in der dur/moll-tonalen Musik wurzelt.

Die gehörmethodisch wichtigste Aufgabe wird es nun also sein, solche *Intervallkombinationen* zu üben, die die dur/moll-tonale Deutung jedes einzelnen Intervalls *stören*. Est ist klar, dass das einzelne Intervall als selbständige »atonale« Gestalt bei dieser Arbeit grosse Bedeutung hat. Dass aber der Schüler die Intervall-Lehre im absoluten Sinn beherrscht (mit Auge und Ohr!) stellt hier nur eine *Voraussetzung* für das fortgesetzte Studium dar, das der Autor mit den Worten »gehörsmässiges Gestaltstudium« oder dergleichen bezeichnen möchte.

Das Notenlesen ist eine schwere Kunst und ihre Mechanik ein sehr komplizierter Vorgang. Man bedenke zum Vergleich die Mühe des Kindes bei seinen ersten Leseübungen, Buchstaben und Silben zu Gestalten zu verbinden, die nicht nur für konkrete Dinge sondern auch für abstrakte Begriffe — dem Kind bekannt oder unbekannt — sprachliche Symbole sind. Die Notenschrift steht in einem noch unklareren Verhältnis zu dem, für das sie Symbol ist: die klingende Musik, die abstrakteste und begriffloseste aller Kunstarten! Die Fertigkeit im Notenlesen erfordert viel Arbeit, besonders nach den gewaltigen Veränderungen, für die unsere musikalische Gegenwart u.a. auf dem Gebiet der Tonalität Zeuge war. Dieses Buch ist ein Versuch, Studienmaterial für diese Arbeit zu sammeln. Der Autor hofft, dass andere dadurch angeregt werden, das Material mit neuen Ideen und neuen Veröffentlichungen zu vervollständigen!

STUDIENANWEISUNGEN.

Der Inhalt der Kapitel des Buches ist prinzipiell um folgende Rubriken aufgebaut:

1. Darlegung des Intervallmaterials.
2. Vorübungen.
3. Melodien.
4. Akkordserien.

Ausserdem gibt es Kapitel mit »Melodienbeispielen aus der Literatur«, die in vier verschiedenen Stadien in die Kapitelfolge eingeschoben sind.

Hier werden einige Anweisungen über die pädagogische Anwendung des Materials gegeben:

Vorübungen. Diese bestehen aus etwa dreissig kurzen Phrasen, die auf dem aktuellen Intervallmaterial aufgebaut sind. Die Phrasen können in folgender Weise angewendet werden:

(a) Die Phrase wird nach den Noten gesungen.

(b) Nachsingen. Der Schüler sieht das Notenbild nicht. Der Lehrer gibt den ersten Ton an und spielt die Phrase. Der Schüler singt sie auf dem Tonnamen ohne instrumentale Unterstützung nach.

(c) Nachspielen. Das gleiche wie (b), doch wiederholt der Schüler die Phrase auf seinem Instrument.

(d) Das Lokalisieren der Abweichungen vom Notenbild. Der Schüler sieht die Noten. Der Lehrer spielt oder singt die Phrase mit einem oder mehreren falschen Tönen. Der Schüler analysiert das »Falschspielen«.

(e) Diktat. Der Lehrer gibt den Namen des ersten Tones an (eventuell auch die Taktart), spielt die Phrase durch, wenn nötig mehrere Male. Der Schüler singt die Phrase (nicht auf dem Tonnamen!), worauf sie notiert wird.

(f) Nachspielen oder Nachsingen in transponierter Lage. Dieses ist ein besonders wichtiges Moment für Schüler mit verschiedenen Formen absoluten Gehörs. (Siehe besonders die Rubrik Seite 12).

Man macht es nun natürlich *nicht* so, dass man zuerst mit der Vorübung Nr. 1 nach den Momenten (a) bis (f) arbeitet. Da würde beispielsweise das Diktat eine sehr wohl vorbereitete Aufgabe sein. Das Prinzip soll statt dessen sein, alle oder eine Mehrzahl der Vorübungen nach *einem* der Momente durchzugehen, z.B. nach (a), worauf man von Anfang an beginnt und sie wie (d), (e) oder dergleichen ausführt. Es sind genügend viele und oft einander genügend ähnliche Phrasen vorhanden, um sie nicht nach einem Übungsmoment auswendig lernen zu können.

Ein Teil der Vorübungen ist nur mit schwarzen Notenköpfen notiert. Es ist beabsichtigt, sie auf den Tonnamen von verschiedenen Ausgangspunkten aus mit verschiedenen Rhytmisierungen, beispielsweise nach folgenden Formeln zu singen:

Melodien. Die Melodien sollen vom Schüler auf einer geeigneten Silbe, nicht auf dem Tonnamen gesungen werden. Sie sollen vom Lehrer als Aufgaben gestellt und kontrolliert werden! Die Einstudierung darf selbstverständlich nicht mit Unterstützung eines Klaviers oder dergleichen geschehen, doch soll man sich bisweilen mit einem *gut gestimmten* Klavier kontrollieren. Grosses Gewicht wird auf das Ablesen und das Erleben der melodischen Gestalten und deren organischen Zusammenhang im melodischen Geschehen gelegt. Siehe die Kommentare zu Melodie Nr. 1, Kap. I (Seite 22). Bei der Kontrolle des Gesanges der Schüler soll der Lehrer klar zwischen einem Falschsingen, das auf Unsicherheit des Intervalls als solchem beruht und jenem unterscheiden, das mit der Intonation zu tun hat. Beide Fehler müssen natürlich angegriffen werden. Bezüglich der Intonation: Wenn man wünscht, dass der Schlusston der Melodien mit dem entsprechenden Ton auf einen gut gestimmten Klavier übereinstimmt, so muss man »wohltemperiert« singen!

In methodologischer Hinsicht gibt es keinen Anlass zu übertriebener Angst vor der eventuellen Neigung des Schülers, dur/moll-tonale Zellen in den Melodien abzulesen und zu erleben. Wenn sich der Schüler nur an die dichten »Mutationen« zwischen diesen Zellen gewöhnt, so fördert das die Routine des Notenlesens, trotz dieser dur/moll-tonalen Auslegung. Bei grösserer Erfahrung verschwindet das Bedürfnis danach.

Die Melodien wurden vom Autor komponiert.

Akkordserien. Das Klanggefühl spielt in der Musik unserer Zeit eine sehr grosse Rolle. Das gilt sowohl der Harmonik als dem klanglischen Kolorit. Besonders die letzte Musik erfordert in diesen Bemerkungen neue Initiativen in der Gehörausbildung. — Die hier mitgeteilten Akkordserien können u.a. auf folgende Wise angewendet werden:

(a) Das Akkorddiktat. Der Schüler sieht die Noten nicht. Der Lehrer gibt den ersten Ton an, spielt sodann jeden Akkord, vorschlagsweise zweimal mit etwa fünf Sekunden Zwischenraum. Der Schüler notiert. Die Aufzeichnungen werden besprochen und kontrolliert.

(b) Der Schüler sieht die Noten. Er schlägt die Akkorde einzeln an, lässt jeden Klang tönen, während er die Akkordtöne mit Tonnamen von unten nach oben singt.

(c) Der Schüler sieht die Noten. Er schlägt die Akkorde einzeln an. Während ein Akkord tönt, nimmt er sich vor, dass er auf dem Tonnamen einen bestimmten Ton aus dem klingenden Akkord singt. Er kontrolliert sich.

Melodienbeispiele aus der Literatur. Die Literaturbeispiele können auf die gleiche Weise wie die Vorübungen und die Melodien verwendet werden. Viele von ihnen kann man auf Grund ihres Umfanges und ihrer Lage nicht singen. Das Arbeitsmoment unter »Vorübungen« Seite 10 bringt Vorschläge wie diese Zitate verwendet werden können. Der Lehrer soll dem Schüler nach Möglichkeit eine Vorstellung von der vollständigen kompositorischen Situation geben, worin die Zitate ursprünglich vorkommen. Deshalb werden diese Kapitel mit Zitaten aus einem Quellenverzeichnis mit exakten Seitenhinweisen auf zugängliche Ausgaben eingeleitet. — Die Zitate sind aus einer begrenzten Auswahl von Klassikern des 20. Jahrhunderts und einigen schwedischen Komponisten geholt.

ABSOLUTES GEHÖR UND MELODIENLESEN.

Besondere Probleme entstehen im Zusammenhang mit dem *absoluten Gehör*. Schüler mit einem perfekten sog. *aktiven* absoluten Gehör haben in der Regel geringe Schwierigkeiten beim Gehörstudium, wenn es sich um Melodik und Harmonik handelt. Schüler, die sog. *passives* absoluten Gehör besitzen, d.h. die hören können, welche Töne gesungen oder auf dem Klavier oder einem anderen Instrument angeschlagen werden, aber nicht ebenso sicher den notierten oder verlangten Ton singen können, diese Schüler befinden sich oft in einer schwierigen Mittelstellung vor den freitonalen Notenleseaufgaben. Solange die Aufgaben dur/moll-funktionelle Melodik betreffen, kann dieses passive Gehör ausgezeichnet funktionieren. Das absolute Gehör ist ja zum grössten Teil eine *Gedächtnis*form, und hier bildet das Erinnerungsobjekt vermutlich sowohl absolute Tonhöhen als auch einen Formelvorrat der Dur/Moll-Tonalität. Klar ist jedoch, dass Schüler mit dieser passiven Form des absoluten Gehörs seltener daran denken, welche Intervalle sie singen und noch weniger daran, welche tonale Funktion das fragliche Intervall im Augenblick hat. Wenn sie vor die Aufgabe des Melodienlesens gestellt werden, wo die dur/moll-tonalen Funktionen gestört und abgeschwächt sind, zeigt es sich oft, dass sie nur geringe Hilfe von ihrer Erinnerung für Tonhöhen (für »Tangenten«!) haben, und in dieser Situation wird auch ihre mangelhafte Intervallkenntnis offenbar. Schüler, die sich eines sog. absoluten Gehörs rühmen, sind also nicht selten schwach im freitonalen Melodienlesen. Sie sind schlechte »Gestaltableser«. Die gleichen Schüler können jedoch oft mit grosser Sicherheit auf absichtlichem Falschspielen in einem freitonalen Beispiel reagieren. Es ist sehr wichtig, dass sich dieser Schülertypus darin übt, die Intervallkombinationen und melodischen Gestalten zu produzieren, die in diesem Lehrbuch von grundlegender Bedeutung sind. *Dabei soll mehr an das Intervall und dessen melodische Funktion als an die absoluten Tonnamen gedacht werden.* Für diese Schüler sind die Transponierungsaufgaben, aus dem Gestalterlebnis heraus und *ohne Tonnamen!* gesungen, besonders wichtige Übungen. Siehe Seite 10, Moment (e) und (f)!

RHYTHMUSSTUDIUM.

Dieses Buch enthält keine besonderen Rhythmusübungen. Viele Melodien und Literaturzitate haben jedoch einen ziemlich komplizierten Rhythmus. Es ist wichtig, dass dieser sorgfältig ausgeführt wird. Für ein systematisches Üben im Rhythmuslesen und in der Rhythmusgestaltung wird auf Jørgen Jersild: Laerebog i Rytmelaesning (Kopenhagen 1962) hingewiesen.

*

INTRODUCTION.

The main object of aural training should be to develop musical sensitivity. The different exercises--sight-reading (sight-singing), dictation etc., should not be regarded as an end in themselves but as a means to attain this sensitivity. It is a concrete study to develop the power of obtaining a conscious and clear comprehension of musical structures. This power of comprehension depends primarily, it is true, on a fast and accurate reading technique and on the proficiency acquired in the dictation exercises, but it also includes emotional elements. It is important that we do not lose sight of these elements in the training of the ear. The professional musician should indeed be able to give a more detailed account of the *constructive* elements of the musical "gestus", than the listener, but the most essential thing for both of them is to have a feeling for the nuances in the expression of the music. After all, a feeling for the nuances of the musical idiom probably means more than a mere technical command of its grammar.

This book is addressed primarily to students of music, and deals in the first instance with the reading of 20th-century music. The traditional aural training was based on the major/minor tonality, and its object was to acquire an aural command of the major/minor-tonal music. The methods applied in aural training have thus been dictated by the musical material; and during this epoch, it has been based on the laws of the tonal cadence. With the "collapse" of the major/minor tonality, however, those concerned with aural training have been confronted with an entirely new situation. The conventional aural training does not meet the requirements of 20th-century music. Indeed, it is quite natural that only a few attempts, if any, have been made in ear-training-techniques in connection with the music that has emerged after the major/minor epoch, for if we postulate the truth that the method is largely determined by the nature of the material studied, it follows that we have to obtain some perspective of this material before we can produce a sound method. We must have this perspective in order to be able to understand the structure of the material on which our method is to be based.

We ask ourselves, therefore: Does the music so far composed in the 20th century contain any such logical structural principles which could serve as a basis for a method of training the ear? Hitherto the methods have been based on the major/minor tonality with the triad as tonal basis. Is there any other equally clear tonal principle in 20th-century music, and any just as clearly discernible basic tonal design? The answer to this, of course, is "No"! The study material presented in this book, however, has been built up on *a number* of tonal and melodic figures which in the author's opinion have played some part in avoiding the major/minor-tonal limitations in 20th-century music. (The 20th century is to be understood here as approximately "the first half of the 20th century". The sight reading problems connected with the most recent so-called radical music are not dealt with here.) These melodic figures have been grouped together, according to the intervals they contain, in different chapters with an increasing degree of difficulty. Each chapter may also be said to deal with one more special interval. One of the author's main thesis, however, is that great accuracy in singing individual intervals is not always a guarantee of accuracy in *reading atonal melodies;* this is because most students still feel the interval with a major/minor interpretation, which in turn can be ascribed to the fact that from childhood the factor that most actively influences our ear and our instinct for the harmonic relation of the tones is still the major/minor music.

From a point of view of sight reading training, therefore, the most important thing now is to practice *combinations of intervals* that will break the bonds of the major/minor interpretation of each individual interval. It is clear that the individual interval as an "atonal" figure is of great importance in this training. The student's command (visual and aural) of the theory of intervals in the absolute sense of the word, however, is here merely a *prerequisite* for the further study of what I would like to call "the aural study of the musical patterns".

Reading music is a difficult art to master, and its mechanism is a very complicated process. Take, by way of comparision, the difficulty a child has in learning to read by putting together letters and syllables into forms that are lingual symbols not only of concrete things but also of abstract concepts, known or unknown to the child. Still less clear is the relation of the written music to that for which it stands as a symbol—the sounding music, the most abstract and intangible of the arts! To acquire proficiency in reading music demands a great deal of work, and this even more so after the great revolutions that have occurred in contemporary music, specially in the domain of tonality. This book is an attempt to assemble material for this work. It is my hope that it will also stimulate others to add to the material by presenting new ideas and new publications!

DIRECTIONS FOR STUDY.

The contents of the chapters of this book are in principle built up around the following headings:

1. Presentation of the interval material to be used.
2. Preparatory exercises.
3. Melodies.
4. Chord series.

There are also chapters containing "Examples of Melodies from the Repertoire" at four different stages in the consecutive chapters.

Some directions for the use of the material are given below:

Preparatory Exercises. These consist of some 30 short phrases built up on the intervals in question. These phrases may be used in the following ways:

(a) The phrase is sung from the music:
(b) The teacher gives the first note and plays the phrase. The pupil sings it on the names of the notes without looking at the music and without accompaniment.
(c) Play the phrase. The same as (b), except that the pupil repeats the phrase on his instrument.
(d) Locate deviations from the notation. The pupil sees the music. The teacher plays or sings the phrase with a few wrong notes. The pupil analyses the wrong notes.
(e) Dictation. The teacher gives the name of the first note (possibly also the time), plays the phrase (several times, if required). The pupil sings the phrase (but not on the names of the notes), and writes it down.
(f) Sing or play the phrase again at a different pitch. This exercise is of special importance in the case of pupils with different forms of absolute pitch. (See "Absolute Pitch" on p. 15.)

Needless to say one should *not* first of all work through each preparatory exercise from (a) to (f), for in that case the dictation exercise, for instance would be rather too well prepared. Instead, the principle should be to go through all off the preparatory exercises according to one of them, e.g. as in (a), and then start from the beginning again and practise them as in (d), (e) etc. There are enough phrases, and they are often sufficiently alike to prevent their being learned by heart after practising them once.

Some of the preparatory exercises have been written with black notes only. The idea is that they are to be sung on the names of the notes from different starting points and with different rhythms, e.g. according to the following formulae:

Melodies: The melodies are to be sung by the pupil on a suitable vowel. The teacher should give them as home-work, which is to be supervised. It goes without saying that they should not be practised with the aid of an instrument, but on the other hand the pupil may check up occasionally on a *well-tuned* piano. Great importance is attached to the reading and understanding of the melodic figures and their organic context in the melodic progression. See the comments on Melody No. 1, Chap. I, (p. 22). In controlling the pupil's singing the teacher should distinguish clearly between faults due to uncertainty regarding the interval as such, and those due to faulty intonation. Needless to say both of these faults have to be dealt with. Regarding the intonation: If one wants the final note of the melodies to agree with the corresponding note on a well-tuned "clavier", one has to sing in a "well-tempered" tone of voice.

From the point of view of method there is no cause for great anxiety because of a pupil's possible tendency to read major/minor cells in to the melodies, or to feel them. If the pupils will only accustom themselves to the frequent "mutations" between these cells, it will promote their routine music-reading in spite of this feeling of major/minor tonality. With increased experience, the need for it will disappear.

The melodies have been composed by the author.

Chord Series. The feeling for tone plays a very important part in contemporary music. This applies both to the harmony and colour of the tone. The most recent music, in particular in this respect, calls for a new approach to aural training.

The chord series given here may be used in the following ways:

a) Chord dictation. The pupil does not see the music. The teacher plays the first note, and then plays each chord, say, twice, at an interval of approx. 5 seconds. The pupil writes down the notes of the chord, which are then checked.
b) The pupil sees the music. He plays the chords one by one. While the chord is still sounding he sings the name of a certain note in the sounding chord. He checks up whether it is correct.

Examples of Melodies from the Repertoire. These examples from the Repertoire can be used in the same way as in the preparatory exercises and melodies. Many of them are impossible to sing because of their compass and pitch. The exercises under "Preparatory Exercises", p.14, give an idea of how these examples can be used. If possible the teacher should give the pupil an idea of the entire compositional situation in which the example originally occurs. The chapters containing examples have therefore been prefaced with a list of the sources and the pages on which they occur in the publications available. The examples have been taken from a limited selection of 20th-century classics and from the works of some Swedish composers.

ABSOLUTE PITCH AND READING THE MELODY

Special problems are encountered in connection with *absolute pitch.* Pupils with active absolute pitch generally have little difficulty in training the ear as far as melody and harmony are concerned. Those with *passive* absolute pitch, i.e. those who can hear which notes are being sung or played on the piano or some other instrument, but cannot with equal accuracy sing the written or heard note, often find themselves in a difficult "in-between" position when it comes to reading atonal music. As long as the exercises are limited to major/minor melodies, this passive absolute pitch may function perfectly, since absolute pitch is largely a form of *memory*, and in this case the objects to be remembered probably consist of both absolute note pitches and the major/minor tonality's supply of formulae. It is clear, however, that pupils with this passive form of absolute pitch only rarely give any thought to the interval they are singing, and still less do they think of the tonal function of that interval in the musical context. When they are then confronted with the exercises in melody-reading in which the major/minor tonal functions have been disrupted and weakened, it is often found that their memory for the pitch of notes (on the keyboard) is of little avail, and in this situation their insufficient knowledge of intervals is also revealed. Those who can boast of having so-called, absolute pitch are thus often deficient in atonal melody-reading. They have difficulty in reading the melodic patterns, apart from separate intervals. These same pupils, however, may often react with great accuracy to wrong notes in an atonal example. It is very important that this type of pupil should consciously practise producing the interval combinations and melodic designs that are of fundamental importance in this book. *In doing so they should think more of the intervals and their melodic function than of the actual names of the notes.* For these pupils the exercises on transposition sung according to their own comprehension of the melodic design, and *not on the names of the notes*, are of special importance. See p. 14, exercise (e) and (f)!

RHYTHM

This book does not contain any special studies in rhythm. In many of the melodies and examples quoted from the repertoire, however, the rhythm is fairly complicated. It is important that this rhythm should be carefully observed. For systematic training in the reading and performance of rhythm students are referred to Jørgen Jersild's: "Laerebog i Rytmeläsning" (Text-book on the Reading of Rhythm), Copenhagen, 1962.)

KAPITEL I.

Intervallmaterial: Stor och liten sekund
Ren kvart

Intervallmaterialet erbjuder följande grundtyper av melodisk rörelse (förutom de traditionella tonartsbundna diatoniska skalorna):

a) Kromatik i högre eller mindre grad:

KAPITEL I.

Intervallmaterial: Grosse und kleine Sekunde
Reine Quart

Das Intervallmaterial bietet folgende Grundtypen melodischer Bewegung (ausser den traditionellen tonartgebundenen diatonischen Skalen):

a) Chromatik in höherem oder geringerem Grad:

CHAPTER I.

Interval material: Major and minor second
Perfect fourth

The interval material offers the following basic types of melodic movement (besides the conventional key-bound diatonic scales):

a) Chromatics in a greater or lesser degree:

b) Heltonsrörelse:

b) Ganztonbewegung:

b) whole tone movement.

c) Kvartstaplingar:

c) Quartenstaffelungen:

c) Superimposed fourths.

Arbetet består nu i

a) att träna *ögat* att snabbt uppfatta dessa melodiska strukturer i nottexten. D.v.s. att snabbt *se* om ett steg är helt eller halvt, snabbt kunna *känna igen* bilden av kvartstapling etc.,

b) att med *örat* uppfatta de olika melodistrukturerna. Här sker övningen på flera sätt: man sjunger noterna i de följande fraserna, man övar eftersjungning och efterspelning, lokaliserar lärarens »felspelningar» i övningarna, använder dem som diktat etc. (se Studieanvisningar sid. 7).

Die Arbeit besteht nun darin,

a) das *Auge* zu üben, diese melodischen Strukturen im Notentext schnell aufzufassen, d.h. schnell zu *sehen* ob ein Schritt ganz oder halb ist und schnell das Bild einer Quartenstaffelung etc. wiederzuerkennen,

b) mit dem *Ohr* die verschiedenen Melodiestrukturen aufzunehmen. Hier ist die Übung eine mehrfache: man singt die Noten in den einander folgenden Phrasen, man übt das Nachsingen und Nachspielen, lokalisiert das »Falschspielen« des Lehrers in den Übungen, verwendet sie als Diktat etc. (siehe Studienanweisungen Seite 10).

The work consists of:

a) training the *eye* quickly to perceive these melodic structures in the written music, i.e. to *see* quickly whether an interval is a major or a minor second, and to recognise quickly the appearance of superimposed fourths, etc.,

b) training the *ear* to hear the different melodic structures. This exercise should be carried out in different ways: Sing the notes of the following phrases; repeat as in b) and c) in the directions for study, p. 14; locate the teacher's "wrong notes" in the exercises; use them for dictation etc. (see "Directions for Study", p. 14).

FÖRÖVNINGAR
(Se studieanvisningarna, sid 7).

VORÜBUNGEN
(Siehe Studienanweisungen Seite 10).

PREPARATORY EXERCISE
(See "Directions for Study" on p. 14).

13
14
15
16
17
18
19
20
21
22
23
24

25
26
27

28
29
30
31
32
33
34
35
36
(Se studieanvisningar - Siehe Studienanweisungen - See Directions for study)
37
38
39
40
41
42

MELODIER

Observera: Det är viktigt att arbetet med följande melodimaterial tar sikte på överblick och förståelse för de musikaliskt strukturella elementen. Denna läsfärdighet, som inkluderar strukturell förståelse, spelar ofta själva tonträffningen i händerna (se kommentaren till Melodi nr 1 nedan!) och förhindrar att eleven blir mera inriktad på mekanisk intervalladdition än på avläsandet av melodiska sammanhang. Det kommer på lärarens lott att hjälpa eleven fram till blick och öra för dylika sammanhang.

MELODIEN

Beachte: Es ist wichtig, dass die Arbeit mit dem folgenden Melodienmaterial den Überblick und das Verständnis für die musikalisch strukturellen Elemente anstrebt. Diese Lesefertigkeit, die strukturelles Verständnis einschliesst, erleichtert oft das Tontreffen selbst (siehe die Kommentare zu Melodie Nr. 1 unten!) und verhindert, dass der Schüler mehr auf die mechanische Intervalladdition als auf das Ablesen von melodischen Zusammenhängen eingestellt ist. Aufgabe des Lehrers ist es, dem Schüler zu Blick und Ohr derartiger Zusammenhänge zu verhelfen.

MELODIES.

Note: It is important that the work on the following melodic examples should be directed towards obtaining a survey and understanding of the musical structure. Proficiency in reading, which includes an understanding of the structure, often makes it easier to place the note correctly (see the comments on Melody No. 1 below). It also prevents the pupil from tending automatically to count the intervals rather than to read the melodic *design* in the music. It devolves upon the teacher to help the pupil to acquire an eye and an ear for such connections.

Kommentar: I takterna 7, 8 och 10 möter vi intervall, som först senare upptages till specialbehandling. Förutsatt att man förstår den melodiska gestaltningen, så är det ändå lätt att sjunga detta avsnitt. C^2 i den melodiska gestalten *takt 8 med upptakt* sjunger man lika säkert utifrån *minnet* av C^2 i *takt 7 med upptakt* som genom att helt tänka liten sext! D.v.s. denna lilla sext har här ingen *självständig* melodisk betydelse, och det gäller att *se* och *förstå* detta. Detsamma gäller den lilla septiman i takt 8 och den förminskade oktaven i takt 10. *Minnet* och förståelsen av den närmast föregående melodiska gestalten är här alltså även ur tonträffningssynpunkt det väsentligaste!

Kommentar: In den Takten 7, 8 und 10 begegnen wir Intervallen, die erst später zur Spezialbehandlung herangezogen werden. Vorausgesetzt, dass man die melodische Gestaltung versteht, ist es jedoch leicht, diesen Abschnitt zu singen. C^2 in der melodischen Gestalt *Takt 8 mit Auftakt* singt man ebenso sicher aus dem *Gedächtnis* von C^2 im *Takt 7 mit Auftakt*, wie dadurch, dass man die kleine Sext denkt, d.h. diese kleine Sext hat hier keine *selbständige* melodische Bedeutung und man muss das *sehen* und *verstehen*. Das gleiche gilt hinsichtlich der kleinen Septime im Takt 8 und die Verminderte Oktave im Takt 10. Das *Gedächtnis* und das Verständnis der vorhergehenden melodischen Gestalt ist also auch hier aus dem Gesichtspunkt des Tontreffens das wesentlichste!

Comment: In bars Nos. 7, 8 and 10 we find intervals that will not be dealt with individually until later on. Provided one understands the melodic design, however, there should be no difficulty in singing this exercise. C^2 in the melodic figure in *bar No. 8 with an up-beat* can be sung from the *memory* of C^2 in *bar No. 7 with up-beat* with the same accuracy as by thinking entirely minor sixth, i.e. this minor sixth has no *independent* melodic significance, and it is a matter of *seeing* and *understanding* this. The same applies to the minor seventh in bar No. 8 and the diminished octave in bar No. 10. Thus the *memory* and comprehension of the immediately preceding melodic figure is of great importance in pitching the right note.

23
(♩ = 92)
4
(♩ = c. 80)
5
(♩ = c. 100)
Alla gavotta
6
(♩. = 152)
7
(a tempo)

meno mosso
rit. - - - - - -
Da capo al 𝄐
ACKORDSERIER
AKKORDSERIEN
CHORD SERIES

KAPITEL II.

Intervallmaterial: Ren kvint
Det föregående

KAPITEL II.

Intervallmaterial: Reine Quint
Das Vorhergehende

CHAPTER II.

Interval material: Perfect fifth
The preceding material

Bland de nya melodiska möjligheter som detta intervallmaterial erbjuder, bör ur gehörs-metodisk synpunkt följande kombinationer övas särskilt omsorgsfullt. De sjunges på tonnamn från olika utgångspunkter:

Unter den neuen melodischen Möglichkeiten, die dieses Intervallmaterial bietet, sollen aus gehörmethodischem Gesichtspunkt folgende Kombinationen besonders sorgfältig geübt werden. Sie werden auf dem Tonnamen von verschiedenen Ausgangspunkten aus gesungen:

Among the new melodic possibilities this interval material offers, the following combinations should, for a methodical training of the ear, be practised with special care. They are to be sung on the names of the notes from different bass positions:

a) Kvintstaplingar:

a) Quintenstaffelungen:

a) Superimposed fifths:

b) Kvart och kvint, skilda av liten sekund:

b) Quart und Quint, getrennt von der kleinen Sekunde:

b) Fourth and fifth, separated by a minor second:

Observera: I det följande uppställes ofta intervallkombinationer och melodiformler enligt serieteknikens principer. O = originalform, grundform, I = inversion, omvändning, R = retrograd, kräftrörelse. RI = retrograd inversion, omvänd kräftrörelse.

Beachte: Im folgenden werden oft die Intervallkombinationen und die Melodienformeln nach den Prinzipien der Serientechnik aufgestellt. O = Originalform, Grundform, I = Inversion, Umkehrung, R = retrograde Krebsbewegung. RI = retrograde Inversion, umgekehrte Krebsbewegung.

Note: In the following, the interval combinations and melody formulae have in many cases been arranged according to the principles of the serial technique. O = original form; I = inversion; R = retrograde; RI = retrograde inversion.

FÖRÖVNINGAR VORÜBUNGEN PREPARATORY EXERCISES

19
20
21
22
23
24
25
26
27
28
29
30
31
32
33
34
MELODIER
MELODIEN
MELODIES.
(♩ = 72)
1
2
3
4

2
(𝅗𝅥 = c. 132)
3
(𝅗𝅥 = c. 72)
4
(♩ = c. 60)

5
(♩ = 84)
6
(♩ = c. 76)
7
(♩ = c. 90)

ACKORDSERIER AKKORDSERIEN CHORD SERIES

KAPITEL III.

Intervallmaterial: Stor och liten ters
Det föregående

Intervallförrådet tillåter bl. a. staplingar av små och stora terser. Stapling av små terser ger bl. a. följande gestalter: :

KAPITEL III.

Intervallmaterial: Grosse und kleine Terz
Das Vorhergehende

Der Intervallvorrat arlaubt u.a. Staffelungen von kleinen und grossen Terzen. Die Staffelung von kleinen Terzen ergibt u.a. folgende Gestalten:

CHAPTER III.

Interval material: Major and minor thirds
The preceding material

The supply of intervals permits the superimposition of minor and major thirds. By adding minor thirds one above the other we get the following figures:

d.v.s. förminskad treklang och förminskat septimakord. Dessa förutsättes ha fått en effektiv behandling vid det dur/moll-tonala gehörsstudiet. Det arbete som därvid nedlagts kommer givetvis eleven till godo när han möter dessa två gestalter i nyare, fritonala och atonala sammanhang.

d.h. verminderten Dreiklang und verminderten Septimakkord. Von diesen wird vorausgesetzt, dass sie eine effektive Behandlung beim dur/moll-tonalen Gehörstudium erhalten haben. Die dabei geleistete Arbeit kommt natürlich dem Schüler dann zugute, wenn er diesen zwei Gestalten in neuerem, freitonalem und atonalem Zusammenhang begegnet.

i.e. a diminished triad and a diminished seventh. These chords are assumed to have been effectively dealt with in the major/minor-tonal studies. Work on these studies will obviously be of benefit to the pupil when he encounters these two features in the more modern atonal connections.

Det kanske det väsentligaste i detta kapitel är emellertid övningar med stapling av *stora* terser. Utgångspunkten är den överstigande treklangen, välbekant från dur/moll-studiet, men här uppfattad och övad, inte som en kromatiskt förändrad dur-treklang, exempelvis:

Das vielleicht wesentlichste in diesem Kapitel sind jedoch Übungen mitt Staffelung *grosser* Terzen. Ausgangspunkt ist der übermässige Dreiklang, vom Dur/Moll-Studium her wohl bekannt, hier aber nicht als ein chromatisch veränderter Durdreiklang aufgefasst und geübt, wie zum Beispiel:

Perhaps the most important exercise in this chapter is to practise adding *major* thirds. The starting point is the augmented triad, well-known from the major/minor studies, but understood and practised here not as a chromatically converted triad, e.g.:

utan som en *självständig* klanggestalt, frigjord från denna entydiga ledtonsspänning.

Arbetat tar som vanligt sikte på

sondern als eine *selbständige* Klanggestalt, von dieser eindeutigen Leittonspannung befreit

Die Arbeit richtet sich wie gewöhnlich auf

but as an *independent* chord, free of the former's univocal leading-note tension.

As usual the exercises are aimed at

a) *ögats funktion:* att i nottexten snabbt känna igen den grafiska bilden av överstigande treklang:

a) *die Funktion des Auges:* im Notentext das graphische Bild eines übermässigen Dreiklangs schnell wiederzuerkennen:

a) *the function of the eyes:* To be able to recognise at a glance the graphical picture of an augmented triad in the written music:

b) *örats funktion:* att snabbt uppfatta denna klanggestalt och att utan svårighet själv kunna producera den, d.v.s. sjunga den på *tonnamn* uppåt och nedåt från olika utgångspunkter.

b) *die Funktion des Ohres:* diese Klanggestalt schnell aufzufassen und sie ohne Schwierigkeit selbst zu produzieren, d.h. sie auf dem *Tonnamen* nach oben und unten von verschiedenen Ausgangspunkten aus singen zu können.

b) *the function of the ear:* To be able to hear this sound figure quickly, and to sing it without difficulty, i.e. to sing the names of the notes up and down from different bass positions.

FÖRÖVNINGAR — VORÜBUNGEN — PREPARATORY EXERCISES

Utifrån sin klangföreställning om den överstigande treklangen som en *helhet* övar man även att sjunga klangens toner i annan ordning:

Aus der Klangvorstellung vom übermässigen Dreiklang als ein *Ganzes* übt man auch das Singen der Töne des Klanges in anderer Ordnung:

According to one's own tonal conception of the augmented triad as a *whole*, one also practises singing the notes of the triad in a different order:

Man bör här tänka klangens ramintervall, den lilla sexten (eller överstigande kvint), mera i sammanhang med *själva ackordet* än som ett självständigt melodiskt intervall.

Öva även följande kombinationer med överstigande treklang plus rena kvarter och kvinter:

Man soll hier an das Rahmenintervall des Klanges, die kleine Sext (oder *übermässige* Quint), mehr im Zusammenhang *mit dem Akkord selbst* als an ein selbständiges melodisches Intervall denken.

Übe auch folgende Kombinationen mit übermässigem Dreiklang plus reinen Quarten und Quinten:

Here one should think of the "frame" interval (the extreme notes of the chord), the minor sixth (or augmented fifth), in connection with the *chord itself* rather than as an independent melodic interval.

Practise also the following combinations of augmented triad and superimposed fourths and fifths:

Formlerna 1—14 sjunges, enl. studieanvisningarna, på tonnamn från olika utgångspunkter. Det har visat sig, att just detta moment är oerhört viktigt för det fortsatta arbetet, varför elever rekommenderas att ägna avsevärt arbete åt just detta avsnitt.

Die Formeln 1 — 14 werden nach den Studienanweisungen auf dem Tonnamen von verschiedenen Ausgangspunkten aus gesungen. Es hat sich gezeigt, dass gerade dieses Moment ungeheuer wichtig für die weitere Arbeit ist, weshalb den Schülern empfohlen wird, gerade diesen Abschnitt besonders durchzuarbeiten.

The examples 1—14 should be sung, according to the directions for study, on the names of the notes, starting from different positions. It has been found that this exercise is of special importance for the subsequent studies, and pupils are therefore recommended to put in a considerable amount of work this particular section.

27
28
29
30
31
32
33
34
35
36
37
38
39
40
41
42
43

MELODIER
MELODIEN
MELODIES
(♩ = c. 70)
1
(♩ = c. 70)
2
(♪ = 96)
3
(♩ = 72)
4

(♩ = c. 140)
(♩ = 66)

(♩ = 76)
7
(𝅗𝅥 = 63)
8
♩=♩
♩=♩
rit.
a tempo

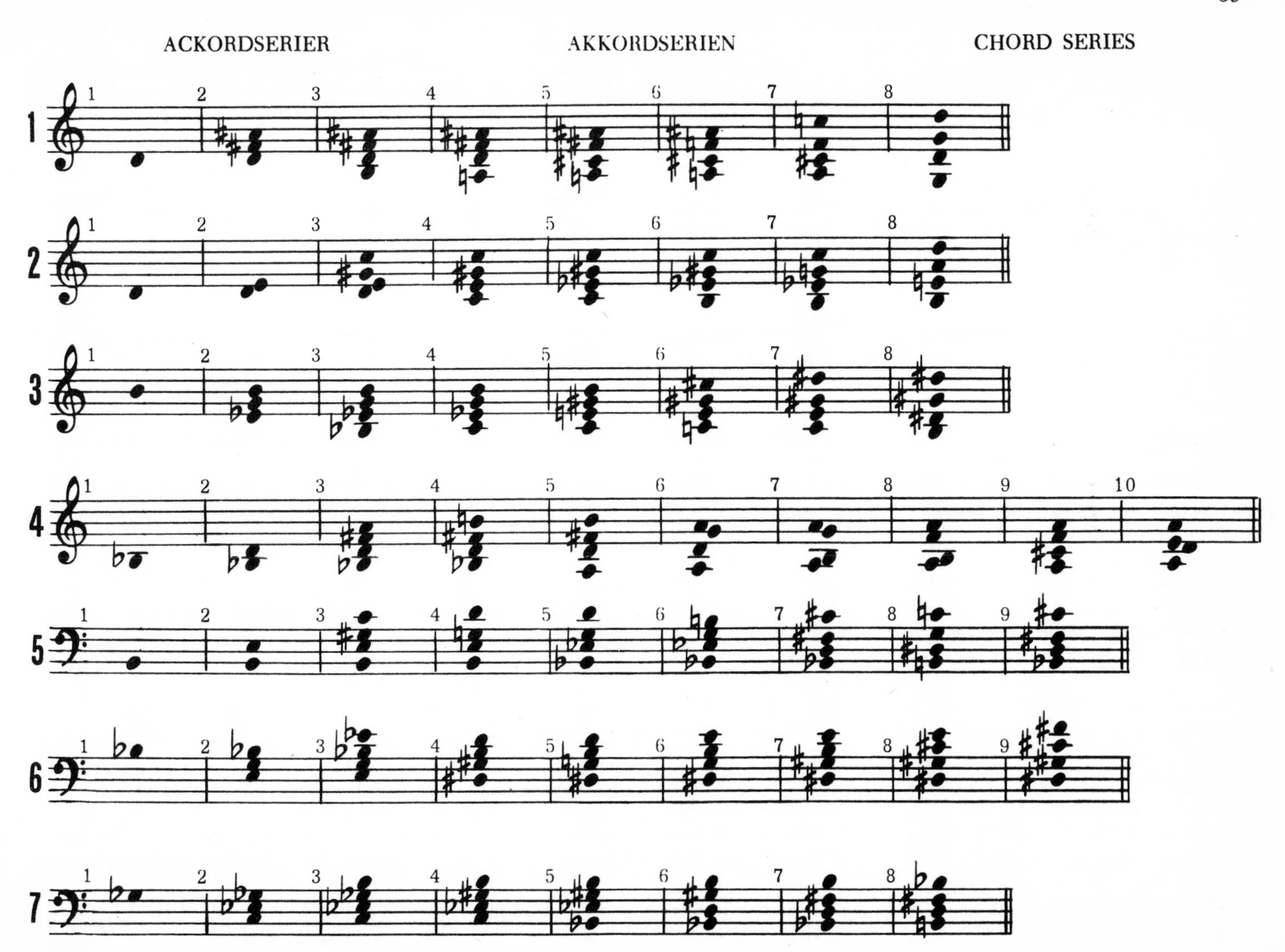
ACKORDSERIER
AKKORDSERIEN
CHORD SERIES

KAPITEL IV.

Melodi-exempel från litteraturen
(Tillämpningsövningar till kap. I—III.
Se studieanv. sid.8).

Källförteckning

1. Béla Bartók: Konsert för orkester. Fickpart. Boosey & Hawkes, s. 1.
2. Béla Bartók: Konsert för orkester. Fickpart. Boosey & Hawkes, s. 18.
3. Béla Bartók: Konsert för orkester. Fickpart. Boosey & Hawkes, s. 17.
4. Béla Bartók: Konsert för orkester. Fickpart. Boosey & Hawkes, s. 47.
5. Karl-Birger Blomdahl: Aniara. Klaverutdrag, Schott, s. 161.
6. Béla Bartók: Stråkkvartett II. Fickpart. Universal-Ed., s. 15.
7. Béla Bartók: Stråkkvartett II. Fickpart. Universal-Ed., s. 13.
8. Frank Martin: Petite Symphonie concertante. Fickpart. Philharmonia, s. 1.
9. Frank Martin: Petite Symphonie concertante. Fickpart. Philharmonia, s. 1.
10. Béla Bartók: Stråkkvartett VI, Fickpart. Boosey & Hawkes, s. 2.
11. Béla Bartók: Stråkkvartett I, Fickpart. Ed.EMB. Musica, Budapest, s. 15.
12. Béla Bartók: Stråkkvartett VI (se nr 10), s. 1.

KAPITEL IV

Melodienbeispiele aus der Literatur.
(Übungsstücke zu Kapitel I—III.
Siehe Studienanweisungen Seite 11).

Quellenverzeichnis.

1. Béla Bartók: Konzert für Orchester. Taschenpart. Boosey and Hawkes, Seite 1.
2. Béla Bartók: Konzert für Orchester. Taschenpart. Boosey and Hawkes, Seite 18.
3. Béla Bartók: Konzert für Orchester. Taschenpart. Boosey and Hawkes, Seite 17.
4. Béla Bartók: Konzert für Orchester. Taschenpart. Boosey and Hawkes, Seite 47.
5. Karl-Birger Blomdahl: Aniara. Klavierauszug. Schott, Seite 161.
6. Béla Bartók: Streichquartett II, Taschenpart. Universal-Ed., Seite 15.
7. Béla Bartók: Streichquartett II, Taschenpart. Universal-Ed., Seite 13.
8. Frank Martin: Petite Symphonie concertante. Taschenpart. Philharmonia, Seite 1.
9. Frank Martin: Petite Symfonie concertante. Taschenpart. Philharmonia, Seite 1.
10. Béla Bartók: Streichquartett VI, Taschenpart, Seite 2.
11. Béla Bartók: Streichquartett I, Taschenpart. Ed.EMB Musica, Budapest, Seite 15.
12. Béla Bartók: Streichquartett VI (siehe Nr. 10), Seite 1.

CHAPTER IV.

Examples of Melodies from the Repertoire.
(Application exercises for Chapters I—III.
See the Directions for Study, p. 15).

List of Sources.

1. Béla Bartók: Concerto for Orchestra, Pocket edition. Boosey & Hawkes, page 1.
2. Béla Bartók: Concerto for Orchestra, Pocket edition. Boosey & Hawkes, page 18.
3. Béla Bartók: Concerto for Orchestra, Pocket edition. Boosey & Hawkes, page 17.
4. Béla Bartók: Concerto for Orchestra, Pocket edition. Boosey & Hawkes, page 47.
5. Karl-Birger Blomdahl: Aniara. Piano score, Schott, page 161.
6. Béla Bartók: String Quartet II. Pocket edition. Universal-Ed., page 15.
7. Béla Bartók: String Quartet II. Pocket edition. Universal-Ed., page 13.
8. Frank Martin: Petite Symphonie Concertante, Pocket edition. Philharmonia, page 1.
9. Frank Martin: Petite Symphonie Concertante, Pocket edition. Philharmonia, page 1.
10. Béla Bartók: String Quartet VI. Pocket edition, page 2.
11. Béla Bartók: String Quartet I. Pocket edition. Ed. EMB Musica, Budapest, page 15.
12. Béla Bartók: String Quartet VI. (See No. 10), page 1.

13. Arnold Schönberg: Stråkkvartett IV. Fickpart. G. Schirmer, s. 17.
14. Arnold Schönberg: Stråkkvartett IV. Fickpart. G. Schirmer, s. 10.
15. Béla Bartok: Stråkkvartett II (se nr 6), s. 47.
16. Sven-Erik Bäck: Tranfjädrarna. Klaverutdrag, Wilh. Hansen, s. 66.
17. Karl-Birger Blomdahl: Aniara (se nr 5), s. 3.
18. Sven-Erik Bäck: Tranfjädrarna (se nr 16), s. 22.
19. Karl-Birger Blomdahl: Aniara (se nr 5), s. 78.
20. Karl-Birger Blomdahl: Aniara (se nr 5), s. 51.
21. Igor Strawinsky: Threni. Fickpart. Boosey & Hawkes, s. 45.
22. Igor Strawinsky: Threni. Fickpart. Boosey & Hawkes, s. 41.
23. Igor Strawinsky: Threni. Fickpart. Boosey & Hawkes, s. 2.
24. Karl-Birger Blomdahl: Aniara (se nr 5), s. 10.
25. Paul Hindemith: Ludus Tonalis. Schott. s. 13.
26. Paul Hindemith: Ludus Tonalis. Schott. s. 51.
27. Karl-Birger Blomdahl: Litet tema med variationer. Pepparrot, Nord. Musikförlaget, s. 28.
28. Paul Hindemith: Ludus Tonalis (se nr 25), s. 10.
29. Arnold Schönberg: Stråkkvartett IV (se nr 13), s. 33.

13. Arnold Schönberg: Streichquartett IV, Taschenpart. G. Schirmer, Seite 17.
14. Arnold Schönberg: Streichquartett IV, Taschenpart. G. Schirmer, Seite 10.
15. Béla Bartók: Streichquartett II (siehe Nr. 6), Seite 47.
16. Sven-Erik Bäck: Die Kranichfedern. Klavierauszug, Wilh. Hansen, Seite 66.
17. Karl-Birger Blomdahl: Aniara (siehe Nr. 5), Seite 3.
18. Sven-Erik Bäck: Die Kranichfedern (siehe Nr. 16), Seite 22.
19. Karl-Birger Blomdahl: Aniara (siehe Nr. 5), Seite 78.
20. Karl-Birger Blomdahl: Aniara (siehe Nr. 5), Seite 51.
21. Igor Stravinsky: Threni, Taschenpart. Boosey and Hawkes, Seite 45.
22. Igor Stravinsky: Threni, Taschenpart. Boosey and Hawkes, Seite 41.
23. Igor Stravinsky: Threni, Taschenpart. Boosey and Hawkes, Seite 2.
24. Karl-Birger Blomdahl: Aniara (seihe Nr. 5), Seite 10.
25. Paul Hindemith: Ludus Tonalis, Schott, Seite 13.
26. Paul Hindemith: Ludus Tonalis, Schott, Seite 51.
27. Karl-Birger Blomdahl: Kleines Thema mit Variationen. Pepparrot, Nord. Musikförlaget, Seite 28.
28. Paul Hindemith: Ludus Tonalis (siehe Nr. 25), Seite 10.
29. Arnold Schönberg: Streichquartett IV (siehe Nr. 13), Seite 33.

13. Arnold Schoenberg: String Quartet IV. Pocket edition. G. Schirmer, page 17.
14. Arnold Schoenberg: String Quartet IV. Pocket edition. G. Schirmer, page 10.
15. Béla Bartók: String Quartet II (see No. 6), page 47.
16. Sven-Erik Bäck: Tranfjädrarna (Crane Feathers) Piano score, Wilh. Hansen, page 66.
17. Karl-Birger Blomdahl: Aniara (see No. 5), page 3.
18. Sven-Erik Bäck: Tranfjädrarna (see No. 16), page 22.
19. Karl-Birger Blomdahl: Aniara (see No. 5), page 78.
20. Karl Birger Blomdahl: Aniara (see No. 5), page 51.
21. Igor Stravinsky: Threni. Pocket edition. Boosey & Hawkes, page 45.
22. Igor Stravinsky: Threni. Pocket edition. Boosey & Hawkes, page 41.
23. Igor Stravinsky: Threni. Pocket edition. Boosey & Hawkes, page 2.
24. Karl-Birger Blomdahl: Aniara (see No. 5), page 10.
25. Paul Hindemith: Ludus Tonalis. Schott, page 13.
26. Paul Hindemith: Ludus Tonalis. Schott, page 51.
27. Karl-Birger Blomdahl: Litet tema med variationer (Theme with variations). Pepparrot (Horse-radish). Nord. Musikförlaget, page 28.
28. Paul Hindemith: Ludus Tonalis (see No. 25), page 10.
29. Arnold Schoenberg: String Quartet IV (see No. 13), page 33.

30. Alban Berg: Lyrisk svit. Fickpart. Philharm., s. 11.
31. Frank Martin: Petite symphonie concertante (se nr 8), s. 91.
32. Frank Martin: Petite symphonie concertante (se nr 8), s. 10.
33. Arnold Schönberg: Stråkkvartett II. Fickpart. Philh., s. 49.
34. Arnold Schönberg: Stråkkvartett IV (se nr 13), s. 32.
35. Béla Bartók: Musik f. stråkinstrument, slagverk och celesta. Fickpart. Philharmonia, s. 57.
36. Alban Berg: Wozzeck, Three excerpts from . . . Fickpart. Philharmonia, s. 54.
37. Béla Bartók: Stråkkvartett VI (se nr 10), s. 4.
38. Béla Bartók: Musik f. stråkinstrument etc. (se nr 35), s. 1.
39. Béla Bartók: Konsert för orkester (se nr 1, s. 5.
40. Béla Bartók: Stråkkvartett IV. Fickpart. Philharm., s. 16.

30. Alban Berg: Lyrische Suite. Taschenpart. Philharm., Seite 11.
31. Frank Martin: Petite symphonie concertante (siehe Nr. 8), Seite 91.
32. Frank Martin: Petite symphonie concertante (siehe Nr. 8), Seite 10.
33. Arnold Schönberg: Streichquartett II, Taschenpart. Philharm., Seite 49.
34. Arnold Schönberg: Streichquartett IV (siehe Nr. 13), Seite 32.
35. Béla Bartók: Musik für Saiteninstr., Schlagwerk und Celesta. Taschenpart. Philharmonia, Seite 57.
36. Alban Berg: Wozzek, Three excerpts from . . . Taschenpart. Philharmonia, Seite 54.
37. Béla Bartók: Streichquartett VI (siehe Nr. 10), Seite 4.
38. Béla Bartók: Musik für Saiteninstr. etc. (siehe Nr. 35), Seite 1.
39. Béla Bartók: Konzert für Orchester (siehe Nr. 1), Seite 5.
40. Béla Bartók: Streichquartett IV, Taschenpart. Philharm., Seite 16.

30. Alban Berg: Lyrical Suite. Pocket edition. Philharm., page 11.
31. Frank Martin: Petite symphonie concertante (see No. 8), page 91.
32. Frank Martin: Petite symphonie concertante(see No. 8), page 10.
33. Arnold Schoenberg: String Quartet II. Pocket edition. Philharm., page 49.
34. Arnold Schoenberg: String Quartet IV (see No. 13), page 32.
35. Béla Bartók: Music for string instruments, percussion and celesta, Pocket edition. Philharmonia, page 57.
36. Alban Berg: Wozzeck, three excerpts from . . . Pocket edition. Philharmonia., page 54.
37. Béla Bartók: String Quartet VI (see No. 10), page 4.
38. Béla Bartók: Music for String Instruments, etc. (see No. 35), page 1.
39. Béla Bartók: Concerto for Orchestra (see No. 1), page 5.
40. Béla Bartók: String Quartet IV. Pocket edition. Philharmonia, page 16.

(♩. = 83-90)
3
(♩ = 73-64)
4
(♩ = c. 56) (Agitato)
5
Å —— det-ta ljus och sken, Å ——det-ta ljus och sken, hon skå-dar himlens stad.
Oh, dieser hel - le Schein, Oh, dieser hel - le Schein, Sie schaut die Himmelstadt.
(♩.= 58)
6
(♩. = 58-56)
7
(♩ = 56)
8

(𝅗𝅥 = 56)
9
(𝅗𝅥. = c. 140)
10
gliss.
(𝅗𝅥 = 120)
11
(𝅘𝅥. = 140)
12
(𝅗𝅥 = 152)
13
(𝅗𝅥 = 152)
14
(𝅗𝅥 = 84 - 88)
15
16
Pengar, pengar. All- tid pengar. Var-för vill ni ha så myck - et peng - ar?
Geld und Geld und wie-der Geld! Was wollt ihr denn mit so viel Geld be - gin - nen.
(𝅗𝅥 = c. 44)
17
Vi kom från jor - den, Do - ris land, kle- no -den i vårt sol - sys -tem.
Wir flohn die Er - de, Do - ris' Land, das Klei-nod der Pla- ne - ten - wald,

18
En vack - er dag var hon där ba - ra och sen
Mit ei - nem Mal war sie da, und seit die - sem
dess har han ald - rig be - hövt sväl - ta.
Tag ist's ihm glän — — — zend er - gan - gen.
19
(♩ = c. 44)
På sam- ma sätt i en o – änd - lig rymd där svalg av ljus-års
Ge - nau so ist es in dem ew' - gen Raum, wo licht - jahr — tie-fer
djup sin välv-ning slår kring blå - san A - ni - a - ra där hon går.
Ab- grund wölbt sein Rad um Bläschen A - ni - a - ras stil - len Pfad.
20
(♩ = c. 88)
Ah ö ver - läm - na - de åt skräck - stel rymd
Oh! — Dem Rau — me aus - ge - liefert, steif von Schreck
21
(♩ = 90)
de - præ- da - - - tus est a - ni - mam me — — am

(♩ = 120)
22
ne tran - se - at o - ra - ti - - - - o
(♩ = 60)
23
In - - ci - - - pit, in - ci - pit la - men- ta - ti -
o Je - re - mi - æ Pro - phe - - tæ - - - -
(♩ = c. 88)
24
Än ——— kän- nas min - ne - na som öm — — — — ma sår:
Gleich off - nen Wun - den brennt Er - in-ne - - rung da - ran:
(♩ = c. 96)
25
(𝅗𝅥 = c. 54)
26
(♩ = c. 54)
27

28
(♪ = c. 200)
29
(𝅗𝅥. = 54)
30
(♪ = 100)
31
(♩ = 58)
3
3
32
(𝅗𝅥 = 104)
33
Mässige Viertel
pp
Mir bla-sen durch das Dun- kel die Gesich- ter, die freundlich e - ben noch sich zu mir dreh- ten.
34
(𝅗𝅥. = 54)

48
(♩. = c. 84)
35
(♩. = 72)
36
Ringel, Rin-gel, Rosenkranz, Rin - - - gel- reihn! Rin-gel, Ringel, Ro-senkranz, Rin - -
(♩.= 120)
37
(♪=c. 116-112)
38
pp
(♩. = 83)
39

KAPITEL V.

Intervallmaterial: Tritonus (överstigande kvart, förminskad kvint)

Det föregående

De vanligaste dur/moll-tonala tydningarna av tritonusintervallet är följande:

KAPITEL V.

Intervallmaterial: Tritonus (übermässige Quart, verminderte Quint)

Das Vorhergehende

Die gebräuchlichsten dur/moll-tonalen Deutungen des Tritonusintervalles sind folgende:

CHAPTER V.

Interval material: The Tritone (augmented fourth, diminished fifth).

The preceding material

The most common major/minor-tonal interpretations of the tritone interval are as follows:

och und and

Det gäller nu att finna övningar, som gör färdigheten att sjunga tritonus oberoende av dessa traditionella harmoniska tydningar.

Intervallet förberedes genom övning att sjunga avsnitt ur heltonsskalor, ett tritonus-tetrakord. Övningen sjunges på tonnamn från olika utgångspunkter:

Es kommt nun darauf an Übungen zu finden, die die Fertigkeit ausbilden, den Tritonus unabhängig von diesen traditionellen harmonischen Deutungen zu singen.

Das Intervall wird durch die Übung vorbereitet, Abschnitte aus Ganztonskalen, einen Tritonus-Tetrachord zu singen: Die Übung wird auf dem Tonnamen von verschiedenen Ausgangspunkten aus gesungen:

It is now a question of finding exercises that will give proficiency in singing the tritone free of the bonds of the conventional major/minor-tonal interpretations.

The interval is prepared by singing sections of the whole-tone scales, a tritone-tetrachord. The exercise should be sung on the names of the notes, from different starting-notes:

15
16
17
18
19
20
21
22
23
24
25
26
27
28
29
30
31
32
33
34
35
36
37

MELODIER
MELODIEN
MELODIES.
(♩ = c. 63)
(♩ = c. 72)

(♩ c. 152)
3
(𝅗𝅥 = 69)
4
(♪ = c. 126)
5

(♩ = 66)
6

(♪ = c. 168)
7

ACKORDSERIER AKKORDSERIEN CHORD SERIES

1 — 1 2 3 4 5 6 7

2 — 1 2 3 4 5 6 7

3 — 1 2 3 4 5 6 7 8 9

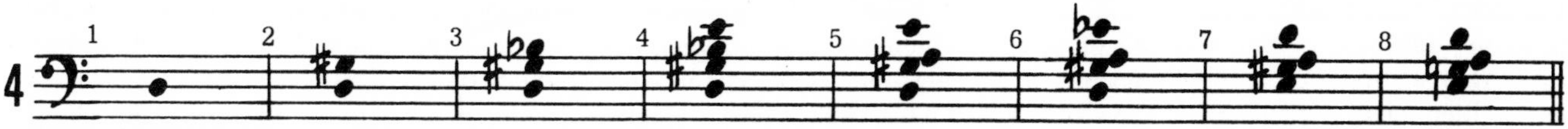

4 — 1 2 3 4 5 6 7 8

5 — 1 2 3 4 5 6 7 8 9

KAPITEL VI.
Intervallmaterial: Liten sext
Det föregående.

Inom dur/moll-tonaliteten har den lilla sexten vanligast sin förankring i treklangen, emellan durtreklangens ters och grundton:

KAPITEL VI
Intervallmaterial: Kleine Sext
Das Vorhergehende

Innerhalb der Dur/Moll-Tonalität hat die kleine Sext zumeist ihre Verankerung im Dreiklang, zwischen der Terz des Durdreiklangs und dem Grundton:

CHAPTER VI.
Interval material: Minor sixth
The preceding material

In the major/minor tonality, the minor sixth is mostly anchored in the triad, between the major triad's third and root note:

och emellan molltreklangens kvint och ters:

und zwischen der Quint und der Terz des Molldreiklangs:

and between the minor triad's fifth and third:

I det följande meddelas övningar, som går ut på att störa denna traditionella harmoniska tydning av den lilla sexten. Den viktigaste av dessa övningar består av en serie kombinationer av liten sext — liten ters i samma rörelseriktning. Följande formler övas ordentligt från olika utgångspunkter. De sjungs på tonnamn från uppgiven första ton:

Im folgenden werden Übungen mitgeteilt, die diese traditionelle harmonische Deutung der kleinen Sext stören sollen. Die wichtigste dieser Übungen besteht in einer Serie von Kombination kleine Sext — kleine Terz in derselben Bewegungsrichtung. Folgende Formeln werden eingehend von verschiedenen Ausgangspunkten aus geübt. Sie werden auf den Tonnamen gesungen. Der erste Ton wird angegeben.

The object of the following exercises is to disrupt this conventional harmonic interpretation of the minor sixth. The most important of these exercises consists of a series of combinations of minor sixth and minor third moving in the same direction. The following formulae should be practised thoroughly, from different starting notes. They are to be sung on the names of the notes from the first note indicated:

Formlerna ges även som klangövningar. Klangen spelas på pianot, eleven sjunger ackordet på tonnamn från namngiven lägsta ton. Ges även som notationsuppgifter. (Jmfr *Ackord-serier*, sid.62).

Die Formeln werden auch als Klangübungen gegeben. Der Klang wird auf dem Klavier gespielt, der Schüler singt den Akkord auf dem Tonnamen vom angegebenen tiefsten Ton. Werden auch als Aufgaben zum Notieren gegeben. (Vgl. *Akkord-serien*, Seite 62).

The formulae are also to be used as chord exercises. The chord is played on the piano, the pupil sings it on the names of the notes, starting on the bass note indicated. Also to be given as a notation exercise (Cf. *chord exercises*, p. 62).

FÖRÖVNINGAR — VORÜBUNGEN — PREPARATORY EXERCISES

15
3
16
17
18
19
20
21
22
23
3
24
25
26
27
28
29
30
31
32

MELODIER
MELODIEN
MELODIES.
(♩ = c. 66)
1

(♩ = c. 72)
2
(♩ = c. 72)
3
(♩ = c. 80)
4

(♪ = c. 126)
5
(♪ = c. 116)
6
(♪ = c. 100)
7

13
14
15
16
17
18

ACKORDSERIER
AKKORDSERIEN
CHORD SERIES
1
2
3
4
5

KAPITEL VII.

Intervallmaterial: Stor sext
Det föregående

Den stora sexten har *principiellt* samma förankring i dur/moll-systemet som den lilla sexten. Se föregående kap., sid. 56. För att arbeta fram en snabb uppfattning av stor sext utan dur/moll-funktionell tydning övas den tillsammans med stor ters i följande formler, som sjunges på tonnamn från olika utgångspunkter med uppgiven första ton:

KAPITEL VII

Intervallmaterial: Grosse Sext
Das Vorhergehende

Die grosse Sext hat *prinzipiell* die gleiche Verankerung im Dur/Moll-System wie die kleine Sext. Siehe das vorhergehende Kapitel Seite 56. Um eine schnelle Auffassung der grossen Sext ohne dur/moll-funktionelle Deutung herauszuarbeiten, wird sie zusammen mit der grossen Terz in folgenden Formeln geübt, die auf Tonnamen von verschiedenen Ausgangspunkten aus mit angegebenem ersten Ton gesungen werden:

CHAPTER VII.

Interval material: Major sixth.
The preceding material

The major sixth has *in principle* the same anchorage in the major/minor system as the minor sixth. See the preceding chapter, p. 56. In order to develop a quick recognition of a major sixth, free of any major/minor-functional interpretation, it should be practised together with a major third in the following formulae, which are to be sung on the names of the notes from different starting notes.

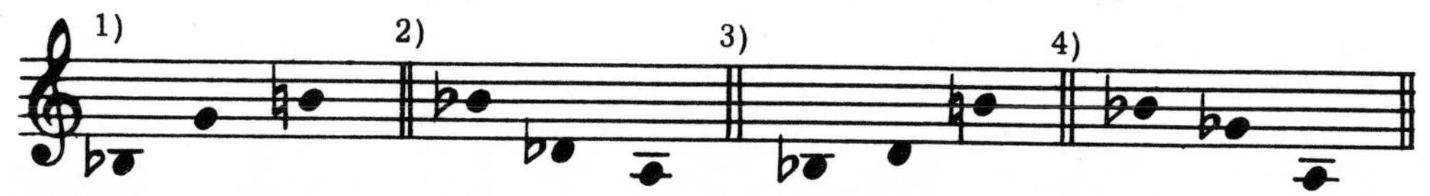

Formlerna användes även som klangövningar på sätt som beskrevs i föregående kap., sid. 56.

Die Formeln werden auch als Klangübungen angewendet, wie es im vorhergehenden Kapitel Seite 56 beschrieben worden ist.

The formulae are also to be used as chord exercises as described in the preceding chapter, p. 56.

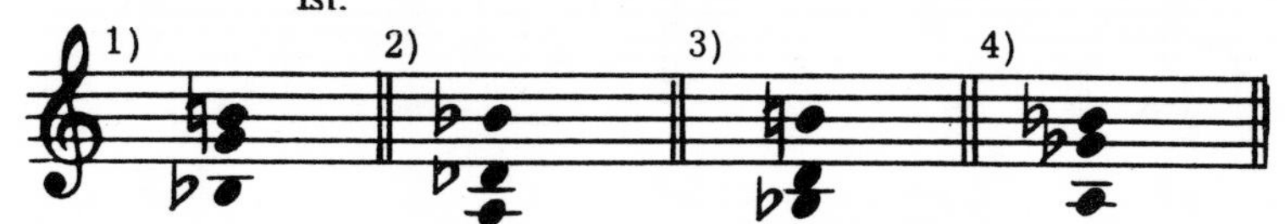

De övas även i följande versioner:

Sie werden auch in folgenden Versionen geübt:

They should also be practised in the following versions:

FÖRÖVNINGAR — VORÜBUNGEN — PREPARATORY EXERCISES

MELODIER
MELODIEN
MELODIES.
(♩ = c. 69)
(♩ = c. 96)

3
(♪ = c.126)
4
(♩ = c. 80)
5
(♪ = c. 120)
♪ = ♪

6
(♩ = c. 70)
ACKORDSERIER
AKKORDSERIEN
CHORD SERIES
1
2
3
4
5

KAPITEL VIII.

Melodi-exempel från litteraturen
(Tillämpningsövningar till kap. V—VII.
Se studieanv. sid. 8).

Källförteckning

1. Béla Bartók: Stråkkvartett II. Fickpart. Universal-Ed., s. 34.
2. Sven-Erik Bäck: Tranfjädrarna. Klaverutdrag, W. Hansen, s. 30.
3. Sven-Erik Bäck: Tranfjädrarna. Klaverutdrag, W. Hansen, s. 43.
4. Sven-Erik Bäck: Tranfjädrarna. Klaverutdrag, W. Hansen, s. 50.
5. Béla Bartók: Konsert för orkester. Fickpart. Philharmonia, s. 15.
6. Béla Bartók: Stråkkvartett IV, Fickpart. Philharmonia, s. 8.
7. Paul Hindemith: Das Marienleben (Pietà), Ed. Schott.
8. Hilding Rosenberg: Symfoni III, 3-dje satsen.
9. Hilding Rosenberg: Riflessioni nr. I f. stråkorkester.
10. Hilding. Rosenberg. Symfoni III, 1-sta satsen.
11. Béla Bartók: Stråkkvartett II (se nr 1), s. 16.
12. Alban Berg: Lyrisk svit. Fickpart. Philharmonia, s. 19.
13. Igor Stravinsky: A sermon, a narrativ and a prayer. Fickpart. Boosey & Hawkes, s. 30.

KAPITEL VIII

Melodienbeispiele aus der Literatur.
(Übungsstücke zu Kapitel V—VII.
Siehe Studienanweisungen Seite 11).

Quellenverzeichnis

1. Béla Bartók: Streichquartett II, Taschenp. Universal-Ed., Seite 34.
2. Sven-Erik Bäck: Die Kranichfedern. Klavierauszug, W. Hansen, Seite 30.
3. Sven-Erik Bäck: Die Kranichfedern. Klavierauszug, W. Hansen, Seite 43.
4. Sven-Erik Bäck: Die Kranichfedern. Klavierauszug, W. Hansen, Seite 50.
5. Béla Bartók: Konzert für Orchester. Taschenpart. Philharm., Seite 15.
6. Béla Bartók: Streichquartett IV, Taschenpart. Philharm., Seite 8.
7. Paul Hindemith: Das Marienleben (Pietà), Ed. Schott.
8. Hilding Rosenberg: Symfoni III, dritter Satz.
9. Hilding Rosenberg: Riflessioni Nr. I für Streichorchester.
10. Hilding Rosenberg: Symfoni III, erster Satz.
11. Béla Bartók: Streichquartett II (siehe Nr. 1), Seite 16.
12. Alban Berg: Lyrische Suite, Taschenpart. Philharmonia, Seite 19.
13. Igor Stravinsky: A sermon, a narrâtive and a prayer. Taschenpart. Boosey and Hawkes, Seite 30.

CHAPTER VIII.

Examples of Melodies from the Repertoire.
(Application exercises for Chapters V—VII.
See directions for study, page 15).

List of Sources.

1. Béla Bartók: String Quartet II. Pocket edition, Universal Ed., page 34.
2. Sven-Erik Bäck: Tranfjädrarna (Crane Feathers). Pianoscore, W. Hansen, page 30.
3. Sven-Erik Bäck: Tranfjädrarna (Crane Feathers). Pianoscore, W. Hansen, page 43.
4. Sven-Erik Bäck: Tranfjädrarna (Crane Feathers). Pianoscore, W. Hansen, page 50.
5. Béla Bartók: Concerto for Orchestra, Pocket edition. Philharmonia, page 15.
6. Béla Bartók: String Quartet IV, Pocket edition. Philharmonia, page 8.
7. Paul Hindemith: Das Marienleben (Pietà), Ed. Schott.
8. Hilding Rosenberg: Symphony III ,3rd movement.
9. Hilding Rosenberg: Riflessioni No. 1 for string orchestra.
10. Hilding Rosenberg: Symphony III, 1st movement.
11. Béla Bartók: String Quartet II (see No. 1), page 16.
12. Alban Berg: Lyrical Suite, Pocket edition, Philharmonia, page 19.
13. Igor Stravinsky: A Sermon, a Narrative and a Prayer. Pocket edition. Boosey & Hawkes, page 30.

14. Ingvar Lidholm: Laudi för kör a capella. Gehrmans musikförlag, Stockholm, s. 5.
15. Karl-Birger Blomdahl: Aniara. Klaverutdrag, Schott, s. 15.
16. Karl-Birger Blomdahl: Aniara. Klaverutdrag, Schott, s. 153.
17. Lars-Erik Larsson: Missa brevis, Gehrmans musikf., Stockholm, s. 2.
18. Karl-Birger Blomdahl: Aniara (se nr 15), s. 87.
19. Alban Berg: Wozzeck. Three excerpts from ... Fickpart. Philh., s. 25.
20. Lars-Erik Larsson: Missa brevis (se nr 17), s. 9.
21. Igor Stravinsky: Threni. Fickpart. Philharm., s. 33.
22. Igor Stravinsky: Threni. Fickpart. Philharm., s. 41.
23. Arnold Schönberg: Stråkkvartett IV. Fickpart. Schirmer, s. 76.
24. Arnold Schönberg: Kammarsymfoni. Fickpart. Universal-Ed., s. 68.
25. Arnold Schönberg. Stråkkvartett IV (se nr 23), s. 1.
26. Sven-Erik Bäck: Tranfjädrarna (se nr 2), s. 55.
27. Ingvar Lidholm: Laudi (se nr 14), s. 10.
28. Béla Bartók: Stråkkvartett I. Fickpart. Ed.EMB Musica, Budapest, s. 19.
29. Béla Bartók: Stråkkvartett II (se nr 1), s. 33.
30. Béla Bartók: Stråkkvartett III. Fickpart. Philharm., s. 5.

14. Ingvar Lidholm: Laudi für Chor a cappella, Gehrmans Musikförlag, Stockholm, Seite 5.
15. Karl-Birger Blomdahl: Aniara, Klavierauszug, Schott, Seite 15.
16. Karl-Birger Blomdahl: Aniara, Klavierauszug, Schott, Seite 153.
17. Lars-Erik Larsson: Missa brevis, Gehrmans Musikförlag, Stockholm, Seite 2.
18. Karl-Birger Blomdahl: Aniara (siehe Nr. 15), Seite 87.
19. Alban Berg: Wozzeck. Three excerpts from ... Taschenpart. Philharmonia, Seite 25.
20. Lars-Erik Larsson: Missa brevis (siehe Nr. 17), Seite 9.
21. Igor Stravinsky: Threni, Taschenpart. Philharmonia, Seite 33.
22. Igor Stravinsky: Threni. Taschenpart. Philharmonia, Seite 41.
23. Arnold Schönberg: Streichquartett IV, Taschenpart. Schirmer, Seite 76.
24. Arnold Schönberg: Kammersymphonie, Taschenpart. Universal-Ed., Seite 68.
25. Arnold Schönberg: Streichquartett IV (siehe Nr. 23), Seite 1.
26. Sven-Erik Bäck: Die Kranichfedern (siehe Nr. 2), Seite 55.
27. Ingvar Lidholm: Laudi (siehe Nr. 14), Seite 10.
28. Béla Bartók: Streichquartett I, Taschenpart. Ed.EMB Musica, Budapest, Seite 19.
29. Béla Bartók: Streichquartett II (siehe Nr. 1), Seite 33.
30. Béla Bartók: Streichquartett III, Taschenpart. Philharm., Seite 5.

14. Ingvar Lidholm: Laudi for Choir a cappella, Gehrmans Musikförlag, Stockholm, page 5.
15. Karl-Birger Blomdahl: Aniara. Piano score, Schott, page 15.
16. Karl-Birger Blomdahl: Aniara. Piano score, Schott, page 153.
17. Lars-Erik Larsson: Missa Brevis, Gehrmans Musikförlag, Stockholm, page 2.
18. Karl-Birger Blomdahl: Aniara (see No. 15), page 87.
19. Alban Berg: Wozzeck. Three excerpts from ... Pocket ed. Philh., page 25.
20. Lars-Erik Larsson: Missa Brevis (see No. 17), page 9.
21. Igor Stravinsky: Threni. Pocket edition, Philharm., page 33.
22. Igor Stravinsky: Threni. Pocket edition, Philharm., page 41.
23. Arnold Schoenberg: String Quartet IV. Pocket edition. Schirmer, page 76.
24. Arnold Schoenberg: Chamber Symphony. Pocket edition. Universal-Ed., page 68.
25. Arnold Schoenberg: String Quartet IV (see No. 23), page 1.
26. Sven-Erik Bäck: Tranfjädrarna (see No. 2), page 55.
27. Ingvar Lidholm: Laudi (see No. 14), page 10.
28. Béla Bartók: String Quartet I, Pocket edition, Ed. EMB Musica, Budapest, page 19.
29. Béla Bartók: String Quartet II. (See No. 1), page 33.
30. Béla Bartók: String Quartet III. Pocket edition. Philharm, page 5

31. Alban Berg: Lyrisk svit (se nr 12), s. 36.
32. Arnold Schönberg: Stråkkvartett IV (se nr 23), s. 22.
33. Arnold Schönberg: Kammarsymfoni (se nr 24), s. 22.
34. Igor Stravinsky: Psalmsymfoni. Fickpart. Boosey & Hawkes, s. 23.
35. Alban Berg: Lyrisk svit (se nr 12), s. 36.
36. Arnold Schönberg: Kammarsymfoni (se nr 24), s. 56.
37. Igor Stravinsky: Threni (se nr 21), s. 22.
38. Anton Webern: II. Kantate. Fickpart. Universal-Ed., s. 33.
39. Anton Webern: Das Augenlicht. Fickpart. Universal-Ed., s. 15.
40. Anton Webern: Drei Gesänge op. 23. Universal-Ed., s. 2.

31. Alban Berg: Lyrische Suite (siehe Nr. 12), Seite 36.
32. Arnold Schönberg: Streichquartett IV (siehe Nr. 23), Seite 22.
33. Arnold Schönberg: Kammersymphonie (siehe Nr. 24), Seite 22.
34. Igor Stravinsky: Psalmsymphonie, Taschenpart. Boosey and Hawkes, Seite 23.
35. Alban Berg: Lyrische Suite (siehe Nr. 12), Seite 36.
36. Arnold Schönberg: Kammersymphonie (siehe Nr. 24), Seite 56.
37. Igor Stravinsky: Threni (siehe Nr. 21), Seite 22.
38. Anton Webern: II. Kantate. Taschenpart. Universal-Ed., Seite 33.
39. Anton Webern: Das Augenlicht, Taschenpart. Universal-Ed., Seite 15.
40. Anton Webern: Drei Gesänge op. 23, Universal-Ed., Seite 2.

31. Alban Berg: Lyrical Suite (see No. 12), page 36.
32. Arnold Schoenberg: String Quartet IV (see No. 23), page 22.
33. Arnold Schoenberg: Chamber Symphony (see No. 24), page 22.
34. Igor Stravinsky: Symphony of Psalms. Pocket edition. Boosey & Hawkes, page 23.
35. Alban Berg: Lyrical Suite (see No. 12), page 36.
36. Arnold Schoenberg: Chamber Symphony (see No. 24), page 56.
37. Igor Stravinsky: Threni (see No. 21), page 22.
38. Anton Webern: Cantata II. Pocket ed. Universal Ed., page 33.
39. Arnold Webern: Das Augenlicht. Pocket edition. Universal-Ed., page 15.
40. Anton Webern: Drei Gesänge op. 23, Universal-Ed., page 2.

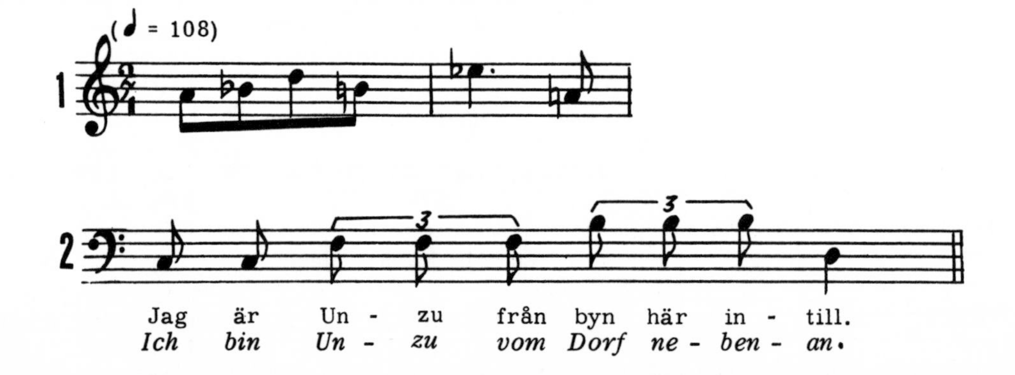

3
Men två - hund-ra kan du nog räk - na med.
Doch zwei-hun-dert wer-den es sich - er sein.
4
Och mi - na ö - ron får ing- en- ting hö - ra
Und ich, ich Ar - me, darf nichts da-von hö - ren
(♩. = 76-70)
5
(♩ = 110)
6
(♩ = c. 38)
7
Jetzt wird mein E - lend voll, und na- men- los er—
füllt —— es mich. Ich star —— re, wie des Steins In - -neres starrt.

Allegro con fuoco
8
Andante con moto
9
Moderato
10
(♩ = 54)
11
(♪ = 100)
12

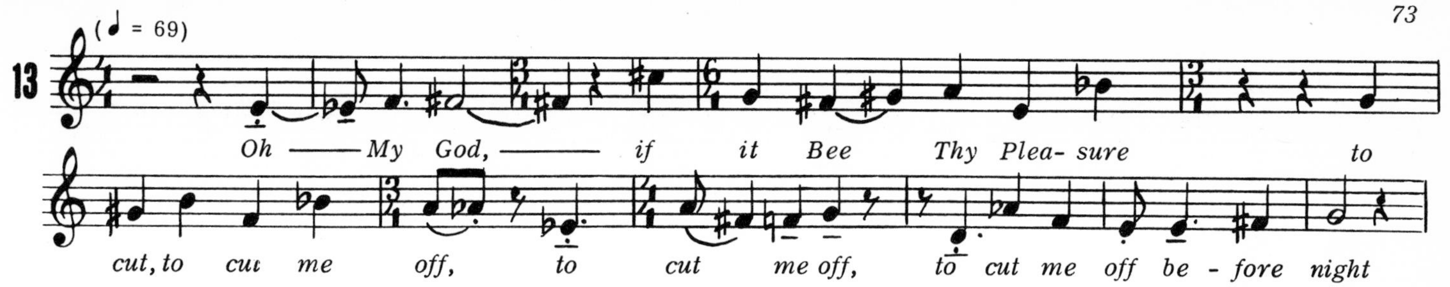
(♩ = 69)
13
Oh —— My God, —— if it Bee Thy Plea- sure to
cut, to cut me off, to cut me off, to cut me off be - fore night

(𝅗𝅥 = 84)
ff
dim. e molto rit.
14
Qui qua - si flos e - gre – – – – – – – di - tur —— et con - te - ri - tur, ——
(♩ = c. 84)
15
med kal- la yr - kes- böd- lar dag- ligen i tjänst vid lås, vid kranar och kon- tak - ter.
Ein Heer von Henkern Tag und Nacht am Werk an Schlössern, Hähnen und Kon- tak - ten.
(♩ = c. 104)
16
Hur väl – – – – – – – – – – – dig är ej rym - den, hur mäk - tig
Ge - wal – – – – – – – – – – – tig ist der Welt - raum, wie ü - ber-

ej dess gå - ta, hur li - ten in- te jag. ——
gross sein Rät - sel, wie win - zig a - ber ich. ——

(♩ = 56)
17
Ky - ri - e, Ky - - ri - e e - le - i - son, e - le - i - son,
Ky - ri - e e - le - i - son Ky - ri - e e - le - i - son, e - le - i - son
Chris - te e - le - i - son Chris - te e -
le - i - son Chris - te e - le - - i - son, Ky - ri - e,
Ky - ri - e, Ky — ri - e e - le - i - son Ky - ri - e,
Ky - ri - e e - le - i - son, Ky - ri - e, Ky - - ri - e Ky - ri - e e —

le - i - son, e - le - i - son, e - le - i - son.
(♩ = c. 54)
18
Där sy- nes Do-ris nu på sjät- te å-ret allt mer för-vand - lad till en fjär-ran
Dort sieht man Do - ris, jetzt im sechsten Jahre, schon fast verwan - delt in ei-nen fer- nen
stjärna, en sol som gnistlikt brän-ner i mitt ö - ga och sticker
Stern in Son- ne die mir fun - kengleich ins Aug'brennt und ih - re
in sin änd-löst lång- a guld-nål i hjär- tat genom svindel- kla- ra rym- der
end- los lan - ge gold-ne Na - del ins Herz sticht durch die schwindelklare Fer - ne.
hon brän- de bre - da - re när hon var nä - ra,
Sie brann- te brei - ter noch, als sie uns nah war,
men stin- ger dju - pa - re när hon är fjär - ran.
doch sticht sie tie - fer jetzt da sie uns fern ist.

19
(= 112)
Der Bub gibt mir ei- nen Stich ins Herz,

20
(= 96)
Sanc-tus, Do- mi-nus De - us, Sanctus, Domi - nus De - us, Sanctus, Do- mi-nus De-us, Sa - ba-oth

21
(= 208)
om - nes vinc - tos ter - ræ;

22
(= 120)
f marc.
et per- cus-si - - sti nos, nec pe-persi - sti

23
(= 66)
pp
rit. - - -

24
(= 92)
pizz.

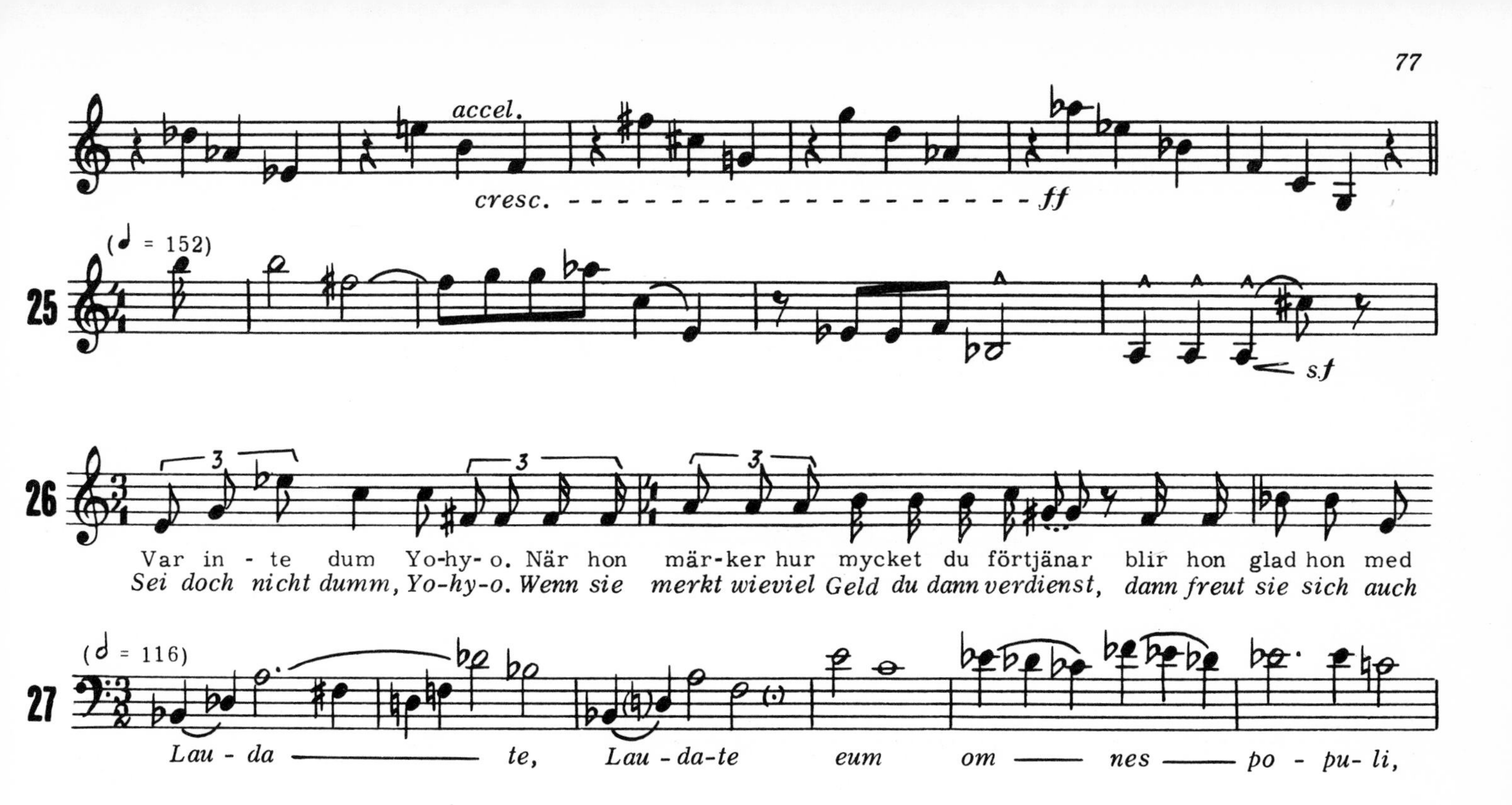
accel.
cresc.
ff
(♩ = 152)
25
sf
26
Var in - te dum Yo-hy- o. När hon mär-ker hur mycket du förtjänar blir hon glad hon med
Sei doch nicht dumm, Yo-hy-o. Wenn sie merkt wieviel Geld du dann verdienst, dann freut sie sich auch
(𝅗𝅥 = 116)
27
Lau - da te, Lau - da-te eum om nes po - pu- li,

(♩ = 120)
rubato
28
(♩ = 96)
29

(♩ = 88)
30
(♩ = 150)
31
(♩ = 152)
32
sehr gesanglich
33
(♪ = 60)
ff
34
Et im-mi-si in os me- um can- ti- cum no - vum, car - men DE- O no—

-stro. Vi - de-bunt mul – – – – – – – ti, vi - de - bunt et ti - ma -

bunt: ——— et spe - ra ——— bunt, spe - ra - bunt in — DO - MI - NO.

(♩ = 150)
35

(𝅗𝅥 = c. 160)
36

(♩ = c. 56)
37
Ae - di - fi - ca - vit in gy - ro me - o, et cir cum - de -

– – – – – – dit me fel – – – – – – – – le et la - bo – – – – – – re.

(𝅗𝅥 = c. 168)
38
Leich — te - ste Bür - den der Bäu - me
(𝅗𝅥 = c. 52)
39
dann spü - len dei - ne Was-ser an die des To - des:
(𝅗𝅥 = c. 48)
40
p
Das dunk-le Herz, das in sich lauscht, erschaut den Früh -
f
p
p
calando
— ling nicht nur am Hauch und Duft, — der durch das Leuchten blüht:
tempo
p
rit.
es fühlt ihn an dem dunklen Wurz - el- reich, das an die To-ten rührt:

KAPITEL IX.

Intervallmaterial: Liten septima
Det föregående

För det dur/moll-utbildade gehöret har den lilla septiman sin funktion främst präglad av dominant-septimackordet och eventuellt av septimackordet på andra steget i dur/moll-skalan. Våra övningar syftar nu till att göra örat mindre bundet av denna funktion. Detta innebär bl. a. att man inte ensidigt betraktar liten septima som resultat av tersstapling:

KAPITEL IX.

Intervallmaterial: Kleine Septime
Das Vorhergehende

Für das dur/moll-ausgebildete Gehör ist die Funktion der kleinen Septime vor allem durch den Dominant-Septimakkord und eventuell durch den Septimakkord auf der zweiten Stufe in der Dur/Moll-Skala geprägt. Unsere Übungen gehen nun darauf aus, das Ohr von dieser Funktion unabhängiger zu machen. Das bedeutet u.a., dass man nicht einseitig die kleine Septime als Resultat der Terzenstaffelung betrachtet:

CHAPTER IX.

Interval material: Minor seventh
The preceding material

To the major/minor-trained ear, the function of the minor seventh is primarily characterised by the chord of the dominant seventh, and possibly also by the chord of the secondary dominant seventh of the major/minor scale. The purpose of the present exercises is to make the ear less bound to this function. This means, that a minor seventh must not be regarded solely as the result of adding on thirds:

utan lika gärna som resultat av kvartstapling:

sondern ebensowohl als Resultat der Quartenstaffelung:

but just as well as a result of adding on fourths:

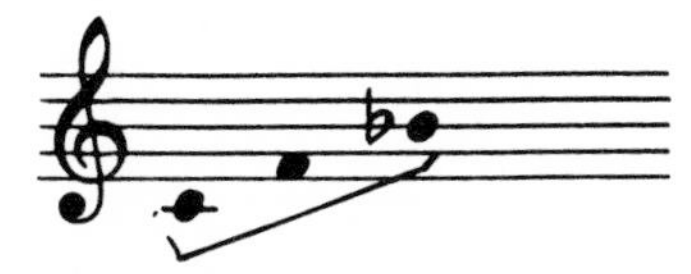

Som ramintervall vid kvartstapling mötte vi liten septima redan i Kap. I. Avsikten med de följande övningarna är att utveckla känslan för intervallet som självständig melodisk byggsten, i varje fall utan den ledtons-funktion som det har inom dur/moll-tonaliteten.

Als Rahmenintervall bei der Quartenstaffelung begegneten wir schon in Kapitel I der kleinen Septime. Die folgenden Übungen beabsichtigen, das Gefühl für das Intervall als selbständigen melodischen Baustein zu entwickeln, in jedem Fall ohne die Leitton-Funktion, die es in der Dur/Moll-Tonalität besitzt.

We have already encountered in Chapter I a minor seventh as the "frame" interval (the extreme notes) of superimposed fourths. The object of the following exercises is to develop a feeling for the interval as an independent component in any case free of the leading-note function held in major/minor tonality.

FÖRÖVNINGAR

1. Öva att sjunga små septimor uppåt och nedåt med tänkt »mellanlandning» på kvarten (allt på tonnamn!):

VORÜBUNGEN

1. Übe kleine Septimen nach oben und unten mit gedachter »Zwischenlandung« auf der Quart (alles auf Tonnamen!) zu singen:

PREPARATORY EXERCISES

1. Practise singing minor sevenths up and down with an imagined "intermediate landing" on the fourth (all of it sung on the names of the notes!):

sjung: tänk: sjung:
sing: denk: sing:
Sing: Imagine: Sing:

sjung: tänk: sjung:
sing: denk: sing:
Sing: Imagine: Sing:

o.s.v. Övningen skall kunna utföras i snabbt tempo.

usw. Die Übung soll in raschem Tempo ausgeführt werden können.

and so on. The exercise should be practised until it can be sung at a fast tempo.

8
9
10
11
12
13
14
15
16
17
18
19
20
21
22
23
24

MELODIER
MELODIEN
MELODIES.
(♩ = c. 80)
(♪ = 112)
(♩ = c. 72)

4
(♩ = c. 72)
5
(♩ = c. 76)
rit.
Vals (♩ = c. 120)

rit. - - -
Tempo I
ACKORDSERIER
AKKORDSERIEN
CHORD SERIES

KAPITEL X.

Intervallmaterial: Stor septima.
Det föregående

Den stora septiman är ett viktigt intervall i 1900-talets musik. Inom dur/molltonaliteten har intervallet en övervägande harmonisk funktion (septimackord med stor septima). Inom samtida musik har intervallet, tack vara sin spänningsgrad, fått en mera självständigt melodisk funktion än tidigare (vidmelodik, Weitmelodik).

Som *ramintervall* har vi tidigare i denna lärobok mött stor septima i följande intervallkombinationer:

KAPITEL X.

Intervallmaterial: Grosse Septime
Das Vorhergehende

Die grosse Septime ist in der Musik des 20. Jahrhunderts ein wichtiges Intervall. In der Dur/Moll-Tonalität hat das Intervall eine überwiegend harmonische Funktion (Septimakkord mit grosser Septime). In der Musik der Gegenwart hat das Intervall dank seines Spannungsgrades eine selbständigere melodische Funktion als früher erhalten (Weitmelodik).

Als *Rahmenintervall* begegneten wir früher in diesem Lehrbuch der grossen Septime in folgenden Intervallkombinationen:

CHAPTER X.

Interval material: Major seventh
The preceding material

The major seventh is an important interval in 20th-century music. In the major/minor tonality the function of this interval is mostly harmonic (the chord of the seventh with a major seventh). In contemporary music this interval, because of its tensional character, has acquired a more independent function than before ("Weitmelodik").

We have encountered earlier in this book a major seventh as a "frame" interval in the following interval combinations:

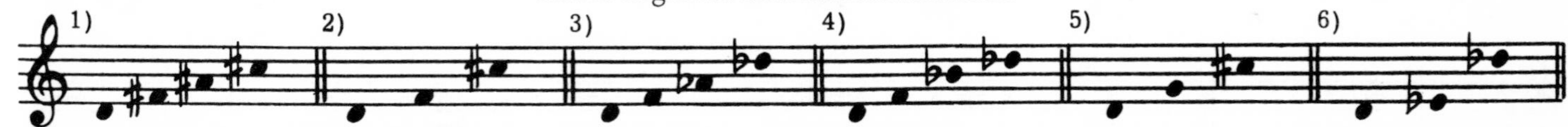

Det kan vara lämpligt att åter öva dessa delningar av den stora septiman. Sjung hörbart endast de toner, som bildar ramintervallet stor septima, men *tänk* de mellanliggande tonerna på samma sätt som beskrevs i kap. IX, sid. 82. Allt på tonnamn! Formlerna övas även i omvändning!

Es ist zu empfehlen, diese Teilungen der grossen Septime wieder zu üben. Sing nur die Töne hörbar, die das Rahmenintervall grosse Septime bilden, *denk* aber die dazwischenliegenden Töne in der gleichen Art wie es in Kapitel IX Seite 82 beschrieben wurde. Alles auf Tonnamen! Die Formeln werden auch umgekehrt geübt!

It might be advisable to practise these intervals of the major seventh once again. Sing only the extreme notes of the major seventh, but *imagine* the intermediate notes in the same way as described in chapter IX, p. 82. Always sing the names of the notes! These formulae should also be practised in inversion.

FÖRÖVNINGAR

VORÜBUNGEN

PREPARATORY EXERCISES

4
etc.

5
6
7
8
9
10
11
12
13
14
15
16
17
18
19

MELODIER
MELODIEN
MELODIES.
(♩ = c. 104)
(♩ = c. 66)

(♪ = c. 132)
3
(♩ = c. 76)
4
rit
a tempo

ACKORDSERIER — AKKORDSERIEN — CHORD SERIES

KAPITEL XI.
Melodi-exempel från litteraturen,
(Tillämpningsövningar till Kap. IX—X.
Se studieanv. sid. 8).

Källförteckning: ..

1. Karl-Birger Blomdahl: Aniara. Klaver-utdrag, Schott, s. 57.
2. Sven-Erik Bäck: Tranfjädrarna. Klaver-utdrag, W. Hansen, s. 15.
3. Sven-Erik Bäck: Tranfjädrarna. Klaver-utdrag, W. Hansen, s. 58.
4. Sven-Erik Bäck: Tranfjädrarna. Klaver-utdrag, W. Hansen, s. 18.
5. Paul Hindemith: Das Marienleben. Schott, s. 49.
6. Anton Webern: Zwei Lieder op. 8, nr 2. Universal-Ed.
7. Karl-Birger Blomdahl: Aniara (se nr 1), s. 99.
8. Karl-Birger Blomdahl: Aniara (se nr 1), s. 183.
9. Sven-Erik Bäck: Tranfjädrarna (se nr 2), s. 111.
10. Sven-Erik Bäck: Tranfjädrarna (se nr 2), s. 51.
11. Sven-Erik Bäck: Tranfjädrarna (se nr 2), s. 86.
12. Sven-Erik Bäck: Tranfjädrarna (se nr 2), s. 76.
13. Igor Stravinsky: A sermon, a narrative and a prayer. Fickpart. Boosey & Hawkes, s. 34.

KAPITEL XI.
Melodienbeispiele aus der Literatur.
(Übungsstücke zu Kapitel IX—X.
Siehe Studienanweisungen Seite 11).

Quellenverzeichnis:

1. Karl-Birger Blomdahl: Aniara. Klavierauszug, Schott, Seite 57.
2. Sven-Erik Bäck: Die Kranichfedern, Klavierauszug, W. Hansen, Seite 15.
3. Sven-Erik Bäck: Die Kranichfedern, Klavierauszug, W. Hansen, Seite 58.
4. Sven-Erik Bäck: Die Kranichfedern, Klavierauszug, W. Hansen, Seite 18.
5. Paul Hindemith: Das Marienleben, Schott, Seite 49.
6. Anton Webern: Zwei Lieder op. 8, Nr. 2, Universal-Ed.
7. Karl-Birger Blomdahl: Aniara (siehe Nr. 1), Seite 99.
8. Karl-Birger Blomdahl: Aniara (siehe Nr. 1), Seite 183.
9. Sven-Erik Bäck: Die Kranichfedern (siehe Nr. 2), Seite 111.
10. Sven-Erik Bäck: Die Kranichfedern (siehe Nr. 2), Seite 51.
11. Sven-Erik Bäck: Die Kranichfedern (siehe Nr. 2), Seite 86.
12. Sven-Erik Bäck: Die Kranichfedern (siehe Nr. 2), Seite 76.
13. Igor Stravinsky: A sermon, a narrative and a prayer, Taschenpart. Boosey and Hawkes, Seite 34.

CHAPTER XI.
Examples of Melodies from the Repertoire.
(Application exercises for Chapters IX—X.
See directions for study, page 15).

List of Sources.

1. Karl-Birger Blomdahl: Aniara. Piano score. Schott, page 57.
2. Sven-Erik Bäck: Tranfjädrarna (Crane Feathers) Piano score, W. Hansen, page 15.
3. Sven-Erik Bäck: Tranfjädrarna (Crane Feathers) Piano score, W. Hansen, page 58.
4. Sven-Erik Bäck: Tranfjädrarna (Crane Feathers) Piano score, W. Hansen, page 18.
5. Paul Hindemith: Das Marienleben. Schott, page 49.
6. Anton Webern: Zwei Lieder op. 8: No. 2. Universal-Ed.
7. Karl-Birger Blomdahl: Aniara (see No. 1), page 99.
8. Karl-Birger Blomdahl: Aniara (see No. 1, page 183.
9. Sven-Erik Bäck: Tranfjädrarna (see No. 2), page 111.
10. Sven-Erik Bäck: Tranfjädrarna (see No. 2), page 51.
11. Sven-Erik Bäck: Tranfjädrarna (see No. 2), page 86.
12. Sven-Erik Bäck: Tranfjädrarna (see No. 2), page 76.
13. Igor Stravinsky: A sermon, a narrative and a prayer, Pocket edition, Boosey & Hawkes, page 34.

14. Sven-Erik Bäck: Natten är framskriden, motett. Diakonistyrelsens Förlag, Stockholm.
15. Anton Webern: 5 geistl. Lieder op. 15: nr 5. Universal-Ed.
16 a—c: Arnold Schönberg: Stråkkvartett I, första satsen. Fickpart. Philharm.
17 a—f: Arnold Schönberg: Stråkkvartett IV, Fickpart. Schirmer, s. 39—41.
18. Arnold Schönberg: Stråkkvartett IV, Fickpart. Schirmer, s. 7.
19. Arnold Schönberg: Stråkkvartett IV, Fickpart. Schirmer, s. 21.
20. Karl-Birger Blomdahl: Aniara (se nr 1), s. 107.
21. Anton Webern: Zwei Lieder op 8: nr 1. Universal-Ed.
22. Igor Stravinsky: Psalmsymfoni. Fickpart. Boosey & Hawkes, s. 16.
23. Sven-Erik Bäck: Tranfjädrarna (se nr 2), s. 72.
24. Arnold Schönberg: Stråkkvartett IV (se nr 16), s. 85.
25. Arnold Schönberg: Stråkkvartett IV (se nr 16) s. 53.
26. Luigi Dallapiccola: Goethe-Lieder. Ed. Suvini Zerboni, s. 13.
27. Igor Stravinsky: Threni. Fickpart. Boosey & Hawkes, s. 20.
28. Karl-Birger Blomdahl: Aniara (se nr 1), s. 101.
29. Karl-Birger Blomdahl: Aniara (se nr 1), s. 54.

14. Sven-Erik Bäck: Natten är framskriden, Motette, Diakonistyrelsens Förlag, Stockholm. Engl. Version: W. Hansen.
15. Anton Webern: 5 geistl. Lieder op. 15: No. 5. Universal-Ed.
16 a—c: Arnold Schönberg: Streichquartett I, erster Satz, Taschenpart. Philharmonia.
17 a—f: Arnold Schönberg: Streichquartett IV, Taschenpart. Schirmer, Seite 39—41.
18. Arnold Schönberg: Streichquartett IV, Taschenpart. Schirmer, Seite 7.
19. Arnold Schönberg: Streichquartett IV, Taschenpart. Schirmer, Seite 21.
20. Karl-Birger Blomdahl: Aniara (siehe Nr. 1), Seite 107.
21. Anton Webern: Zwei Lieder op. 8 Nr. 1, Universal-Ed.
22. Igor Stravinsky: Psalmsymphonie, Taschenpart. Boosey and Hawkes, Seite 16.
23. Sven-Erik Bäck: Die Kranichfedern (siehe Nr. 2), Seite 72.
24. Arnold Schönberg: Streichquartett IV (siehe Nr. 16), Seite 85.
25. Arnold Schönberg: Streichquartett IV, (siehe Nr. 16), Seite 53.
26. Luigi Dallapiccola: Goethe-Lieder, Ed. Suvini Zerboni, Seite 13.
27. Igor Stravinsky: Threni, Taschenpart. Boosey and Hawkes, Seite 20.
28. Karl-Birger Blomdahl: Aniara (siehe Nr. 1), Seite 101.
29. Karl-Birger Blomdahl: Aniara (siehe Nr. 1), Seite 54.

14. Sven-Erik Bäck: Natten är framskriden, Motet, Diakoniststyrelsens Förlag, Stockholm. Engl. version: W. Hansen.
15. Anton Webern: 5 geistl. Lieder op. 15, Nr. 5, Universal-Ed.
16 a—c: Arnold Schoenberg: String Quartet I, first mov. Pocket ed. Philharmonia.
17 a—f: Arnold Schoenberg: String Quartet IV. Pocket edition. Schirmer, page 39—41.
18. Arnold Schoenberg: String Quartet IV. Pocket edition. Schirmer, page 7.
19. Arnold Schoenberg: String Quartet IV. Pocket edition. Schirmer, page 21.
20. Karl-Birger Blomdahl: Aniara (see No. 1), page 107.
21. Anton Webern: Zwei Lieder op. 8: No. 1. Universal-Ed.
22. Igor Stravinsky: Symphony of Psalms. Pocket edition. Boosey & Hawkes, page 16.
23. Sven-Erik Bäck: Tranfjädrarna(see No. 2), page 72.
24. Arnold Schoenberg: String Quartet IV (see No. 16), page 85.
25. Arnold Schoenberg: String Quartet IV (see No. 16), page 53.
26. Luigi Dallapiccola: Goethe-Lieder. Ed. Suvini Zerboni, page 13.
27. Igor Stravinsky: Threni. Pocket edition. Boosey & Hawkes, page 20.
28. Karl-Birger Blomdahl: Aniara (see No. 1), page 101.
29. Karl-Birger Blomdahl: Aniara (see No. 1), page 54.

(♩ = c. 88)
1
På släk - tets färd har all - tid of - fer krävts! Men
Der Mensch- heit Weg war stets an Op - fern reich! Doch
ni är gyn - na - de. Ni har ej stör - tat mot nå - gon
Ihr seid bes - ser dran. Auf kei - ne Ster - ne seid Ihr ge -
stjär - na el - ler dess dra - ban - ter. I stäl - let har ni
stürzt, auf kei - ne Sa - tell - i - ten. Statt des - sen habt Ihr
här er färd fram - för er, en livs- tid fram e- mot ett slut, som än- då skulle kom -
hier die Rei - se vor Euch, auf Le- bens-zeit, dem En- de zu, das uns vor-ausbestimmt
ma. Ja, ni är gyn - na - de, ni har ej stör - tat
ist. Ja, ihr seid bes-ser dran! Seid nicht ge - stürzt!

2
Nej först mås - te jag sät - ta sop - pan på el - den.
Nein, erst muss ja doch mal die Sup - pe aufs Feu- er.

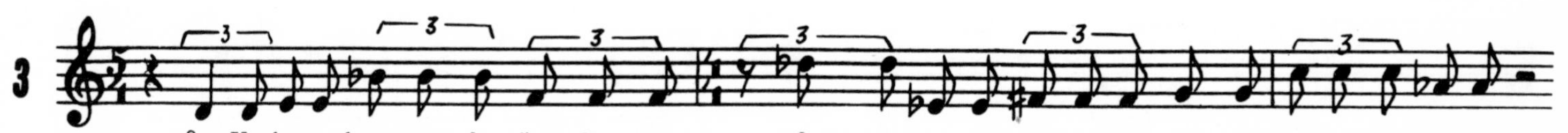
3
Å Yo-hy-o, kommer du änt- li - gen. Låt oss ä -ta. Ri-set är ko -kat, soppan är fär-dig.
Ach, Yohy-o, endlich zu Haus bei mir! Komm jetzt es-sen! Fertig der Reis und fertig die Sup-pe.

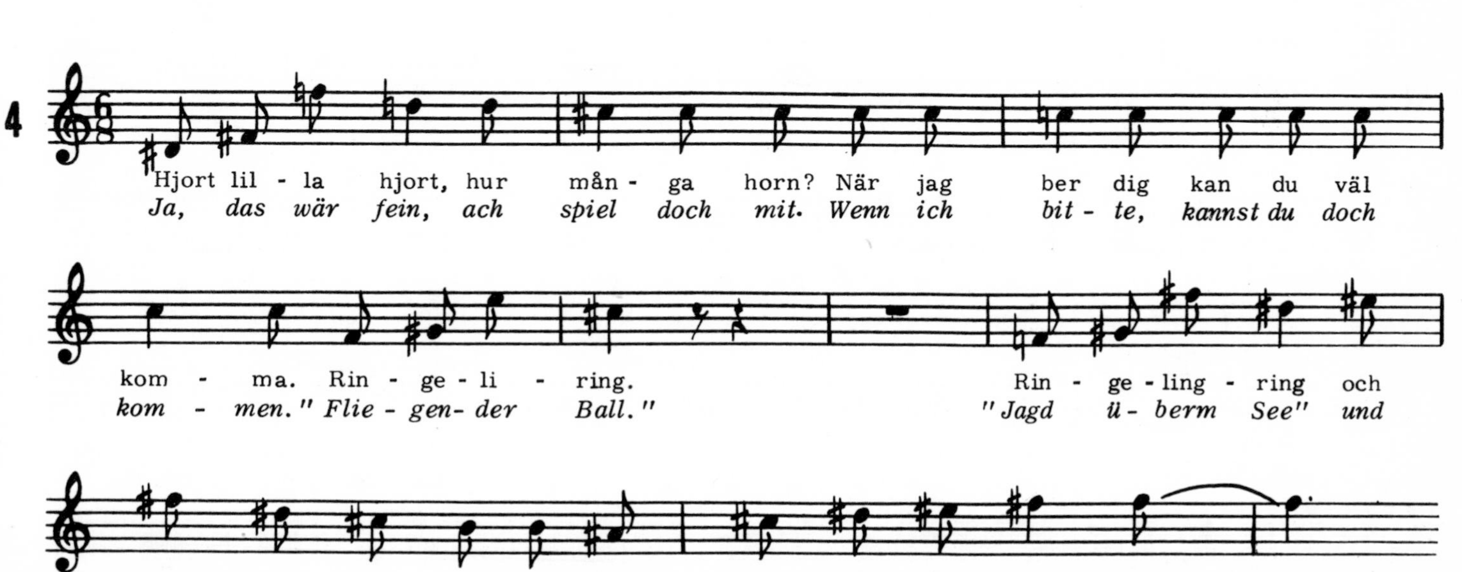
4
Hjort lil - la hjort, hur mån - ga horn? När jag ber dig kan du väl
Ja, das wär fein, ach spiel doch mit. Wenn ich bit - te, kannst du doch
kom - ma. Rin - ge - li - ring. Rin - ge - ling - ring och
kom - men." Flie - gen- der Ball." "Jagd ü - berm See" und
Hjort lil - la hjort, när jag ber dig, jag ber dig.
"Spu - ren im Schnee." Wenn ich so schön dich bit - te!

5
(♩ bis 40)
O hast du dies ge- wollt, du hät- test nicht durch ei-nes Weibes Leib entspringen dürfen:
6
(♩ = c. 44)
Du machst mich al - lein. Dich ein - zig kann ich ver - rausch- en.

7
(♩ = c. 86)
parodico
Det kun - ne va-rit li - ka il - la här.
Das konn - te bei-nah auch ge - schehn mit uns!
Men vi är gyn - na - de. För vi är långt från Do- ris.
Doch wir sind bes- ser dran, wir sind ja weit von Do- ris.
8
(♩ = c. 44)
p dolciss.
När den man äls - kat nått till dö-dens dörr står rym - den hård och
Steht die Ge - lieb - te an des To - des Tor, wirkt hart der Raum und
♩ = ca. 88
grym- ma- re än förr. Vi res-te all - tet runt
grau- sa- mer als zu - vor. So reisen weit im All!

men kun - de in - te fa - ra vi sutto fång- na här i A- ni - a - ra.
Und nir-gendhin ge - lan - gen! in A- ni - a - ra sas - sen wir ge- fan - gen.
9
Tsu, vart skall du gå?
Tsu, wo willst du hin?
(♩ = 94)
10
Som ryck - te pi - len ur min rygg.
Der einst mich von dem Pfeil be - freit.
11
Jag ska vä - va din väv. Men ett må- ste du lo - va:
Ich werd tun was du willst. Doch eins musst du ver- spre-chen:
12
Å, Yo - hy - o, hjälp. Du blir allt av- lägs-na-re, allt mindre och mind - re.
Ach, Yo - hy - o. hilf! Du gehst, entfernst dich von mir, wirst kleiner und klei- ner.
(♩ = 69)
13
That I may be one of those sin- gers who shall cry to Thee Al - lel-lui - a

(♩ = 46)
14
Se din Ko- nung kommer till dig, se din Ko- nung kom -mer till dig
See Thy Lord now co-meth to Thee see Thy Lord now co- meth to The
(♩ = c. 60)
15
pp
Fahr hin, o Seel', zu dei - nem Gott,
p pp p
der dich aus nichts ge - stal- tet, der dich er - löst durch sei - nen
p p pp p
Tod, den Him - mel of - fen hal- tet. Fahr hin zu
p p p piu p
dem der in der Tauf' die Un - schuld dir ge - ge - ben, er
pp
neh ----- me dich barm --- her -------- zig auf in
je ------- nes bess' ------ re Le ----- ben.

16 a)
(𝅗𝅥 = 100)
b)
(𝅗𝅥 = 100)
c)
(𝅗𝅥 = 100)
17 a)
(𝅗𝅥 = 152)
b)
c)
d)
e)
f)
18
(♩ = 152)
p
3
19
(♩ = 152)
p
3

(♩ = c. 66)
20
Vad är det som står på? Fyrværke - ri? Eller den
Na - nu, was ist denn los? Il-lumi- na - tion? Geht uns- rer
stackars Do - ris spö- ke - ri? El-ler ett bud om ny - a, bätt - re världar?
ar - men Do - ris Geisthier um? Versprach gar Je - mand neu- e, bess'-re Wel-ten?
(♩ = c. 50) mf
21
p
Du, der ichs nicht sa - ge, dass ich bei Nacht wei - nend lie- ge,
p
pp rit.
de - ren We-sen mich mü - de macht wie ei - ne Wie - ge.
(♪ = 60)
22

Drakfjäl-len klir - ra för di - na ö-ron. Du hör dem klir- ra. Mig bryr du dig in - te om.
Dra — chen-schuppen, die hörst du klirren, nur zu gern hörst dus. Ich bin dir ja gar-nichts wert.

26
(♪ = 76 - 80) dolciss, quasi parlato
pp
piu cantato, ma sempre dolciss.
Komm, dass ich dich wie - der ha - be, Dich mit Kuss und Lie- dern
la - be, Bist du still in dich ge — — keh — — — ret;
(interrogando, ma non drammatico!)
pp
ppp
(non 𝄐 !)
Was be - engt und drückt und stö - ret?

27
(♩ = c. 56) Monodia
E - go vir vi - dens pau - - per ta - men me - am in vir - ga in -
di — — — — gna - ti - o - - nis e - jus. Me - me - na - vit,

3
3
et ad - du - xit in te - ne-bras, et non in lu - - - cem et non in lu- cem.

(𝅗𝅥 = c. 112)
28
3
Så ta - la - de den Dö - ve som var stum. Men då det
So sprach zu uns der Tau-be, er war stumm. Doch da man
3
3
sagts att ste-nar sko-la ro - pa, så ta - la-de de dö - da i en sten.
sag - te, Stei-ne wer-den schrei- en, so sprachen drum die To-ten aus dem Stein.
Han ro-pa-de ur ste-nen: Kan ni hö - ra? Han
Sein Schrei erhör aus Stei-nen: Könnt Ihr's hö - ren? Sein
3
3
ro-pa-de ur ste-nen: Hör ni in - te? Jag kom-mer i-från sta-den Do-risburg.
Ruf er-tönt aus Steinen: Hört Ihr denn nicht? Ich kom- me aus der Erdstadt Do- risburg.

(♩ = 112)
f secco ma con forza
29
Det är in - te första gång det hän-der. För sex- ti år sen gick en
Das ge-schieht ja nicht zum er - sten Male. Vor sechzig Jah-ren ging ein
stor gon - dol - der med fjor-ton - tu-sen själar helt för - lo-rad, fick in - stru -
Gross- gon - dol - der mit vierzehn tausend See- len spurlos un- ter, ein In- stru-
p
cresc.
ment-kol-laps i riktnin-gen O - ri - on och dök med snabbt ad-de-rad hastighet mot
ment zusammenbruch kurz vor dem O - ri - on. Man saust' mit ma - gischer Beschleunigung gen
f
Ju - pi - ter och uppslöks av dess ök - nar be-grovs i jät - te - stjärnans
Ju - pi - ter, ver- schwand in des - sen Wü- sten; zum Grab ward so des Rie- sen
dim
tung - a höl - je, dess on- da döds-madrass av ned- kylt vä - te som med ett
schwe-re Hül - le, ver - ei-sten Wasser-stof-fes töd-lich Bet- te, das un - ge -
djup av nä - ra tu - sen mil med köld och he - li - um be-pans-rar
fähr zehn-tau-send Mei- len tief den Teu - fels - stern mit He - li - um und

KAPITEL XII.
Intervall större än oktaven. Vidmelodik.

I mycket av 1900-talets s.k. vidmelodik möter vi ofta melodiska språng utöver oktaven:

KAPITEL XII.
Intervalle grösser als die Oktave. Weitmelodik.

In *vieler* sog. Weitmelodik des 20. Jahrhunderts begegnen wir häufig dem melodischen Sprung über die Oktave hinaus:

CHAPTER XII.
Compound intervals. "Weitmelodik".

In a great deal of the 20th-century so-called "Weitmelodik" we find that the melody leaps in intervals greater than an octave:

Dessa intervall blir i denna lärobok inte föremål för systematisk genomgång på samma sätt som de föregående. Intervall större än oktaven kan ur gehörsmetodisk synpunkt ses som oktavförflyttningar av intervallen *inom* oktaven. De står givetvis i den melodiska spänningens och uttryckets tjänst.

Diese Intervalle sind im vorliegenden Lehrbuch nicht in der gleichen Art systematisch durchgearbeitet wie die vorhergehenden. Intervalle, grösser als die Oktave können aus gehörmethodischem Gesichtspunkt als Oktavenverschiebungen von Intervallen *innerhalb* der Oktave angesehen werden. Sie stehen natürlich im Dienst der melodischen Spannung und des Ausdrucks.

These intervals will not be dealt with systematically in this book in the same way as the other intervals. For purpose of aural training compound intervals may be treated as equivalent to their corresponding simple intervals. They obviously serve a useful purpose in giving melodic tension and expression.

Som förövningar till vidmelodik med intervall större än oktaven kan nedanstående »Intervalldiktat över två notsystem» användas. De två notsystemen förses med violinklav resp. basklav. (I övningssyfte kan givetvis även andra klaver användas.) Den som ger diktatet uppger första tonens namn och oktavläge och spelar sedan diktatet med till en början c:a 5 sek. på varje ton, senare något snabbare.

Als Vorübungen zur Weitmelodik mit Intervallen grösser als die Oktave kann das untenstehende »Intervalldiktat über zwei Notensysteme« verwendet werden. Die zwei Notensysteme werden mit Violinschlüssel bzw. Basschlüssel versehen. (Zu Übungzwecken können natürlich auch andere Schlüssel Verwendung finden.) Der Diktierende gibt den Namen des ersten Tones und die Oktavenlage an und spielt dann das Diktat anfänglich mit etwa fünf Sekunden auf jedem Ton, später etwas schneller.

As preparatory exercises in "Weitmelodik" with compound intervals, the following "Interval Dictation on two Notation Systems" may be used. The two systems should be provided with treble and bass clefs respectively. (Other clefts can also be used for purposes of practise). The person dictating gives the name of the first note and the pitch of the octave, and then plays the music dictated, resting for about 5 seconds on each note to begin with, then somewhat faster.

Exempel på intervalldiktat över två system: :

Beispiele von Intervalldiktaten über zwei Systeme:

Examples of Interval Dictation on two Notation Systems:

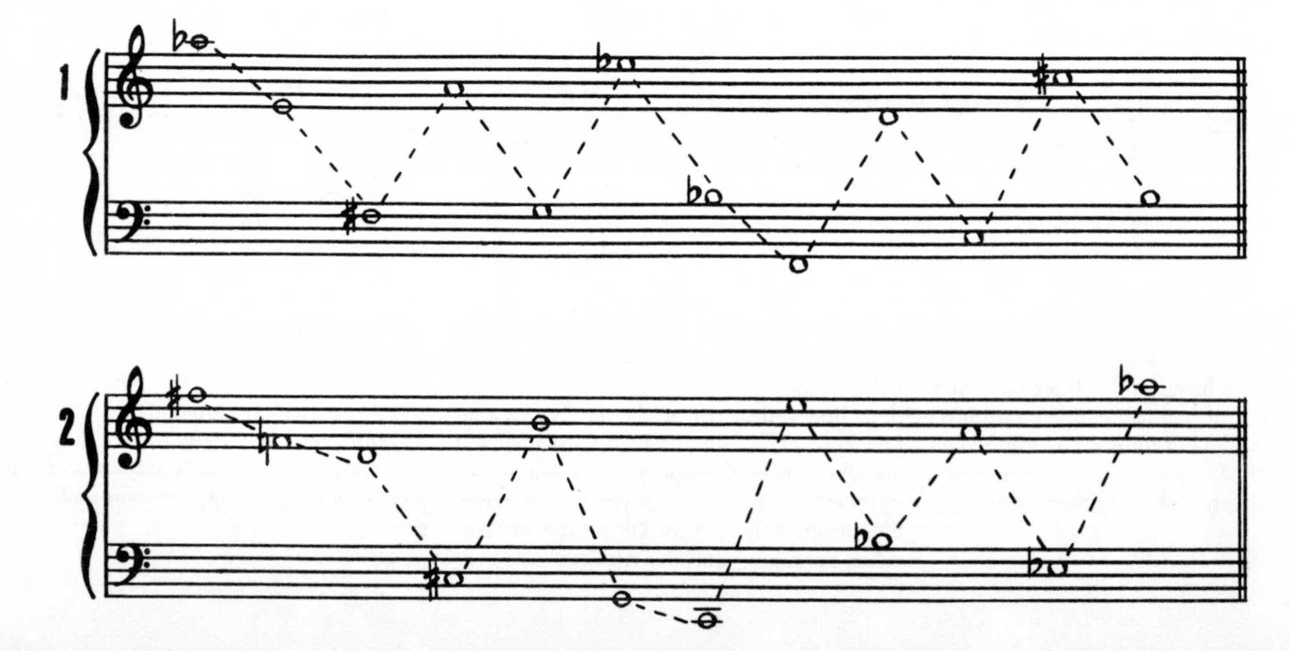

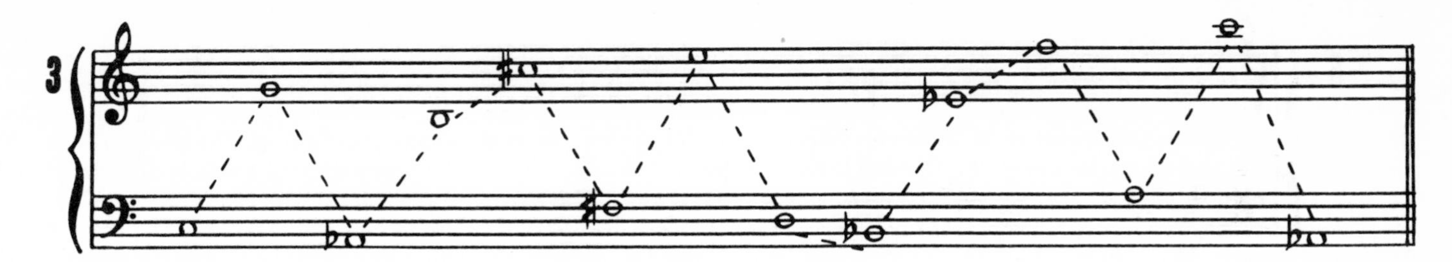
3

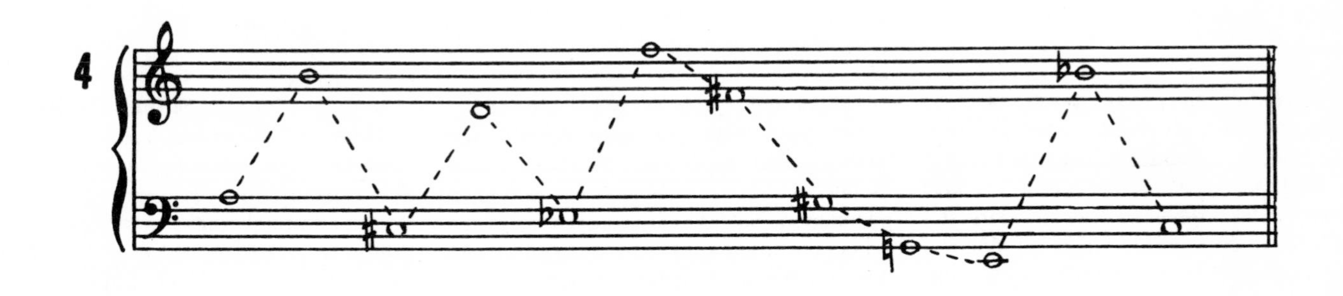
4

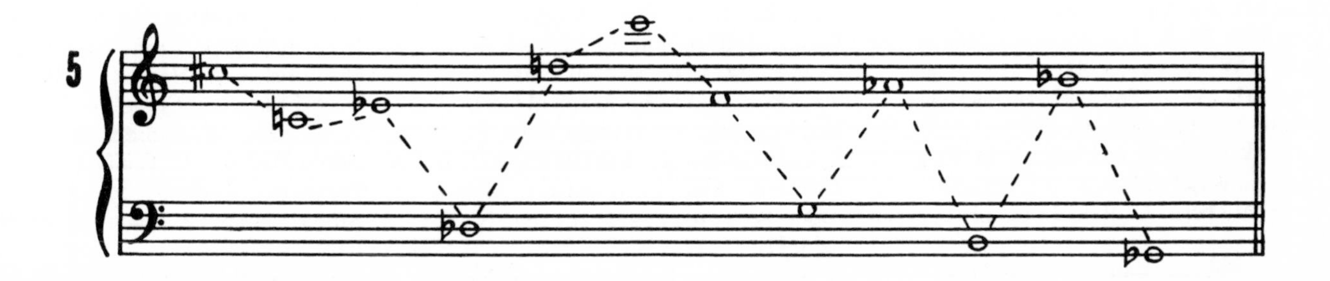
5

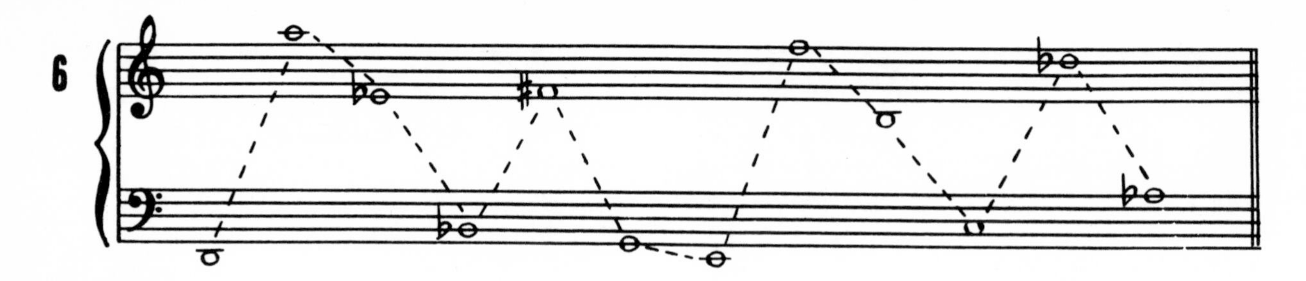

Som underlag för ytterligare uppgifter kan *bl. a.* tjäna tolvtonsserier med tonerna spridda över de två klavernas omfång.

Als Unterlage für weitere Aufgaben können u.a. Zwölftonreihen dienen, mit den Tönen über den Umfang der beiden Schlüssel verbreitet.

n.b. a twelve tone series with the notes spread over the range of the two keys may serve as a basis for further tasks.

Melodiexempel från litteraturen.

Här meddelas ett mindre antal vidmelodiska citat, huvudsakligen hämtade från Anton Weberns verk. Sedan dessa exempel genomarbetats, rekommenderas vidare studier i liknande repertoar (t. ex av Webern, Berg, Dallapiccola, Nono, Lidholm, Bo Nilsson etc.)

1. Ingvar Lidholm: Fyra körer: nr 1. Nordiska Musikförlaget, Stockholm.
2. Sven-Erik Bäck: Tranfjädrarna. Klaverutdrag. W. Hansen, s. 34.
3. Sven-Erik Bäck: Tranfjädrarna. Klaverutdrag. W. Hansen, s. 43.
4. Anton Webern: II. Kantate op. 31. Fickpart. Universal-Ed., s. 8.
5. Anton Webern: Kantate II (se nr 4), s. 17.
6. Anton Webern: Kantate II (se nr 4), s. 22.

Melodienbespiele aus der Literatur.

Hier wird eine geringere Anzahl von weitmelodischen Zitaten gegeben, hauptsächlich aus den Werken von Anton Webern genommen. Nachdem diese Exempel durcharbeitet worden sind, werden weitere Studien in einem ähnlichen Repertoire empfohlen (z.B. von Webern, Berg, Dallapiccola, Nono, Lidholm, Bo Nilsson).

1. Ingvar Lidholm: Fyra körer: Nr. 1. Nordiska Musikförlaget, Stockholm.
2. Sven-Erik Bäck: Die Kranichfedern. Klavierauszug. W. Hansen, Seite 34.
3. Sven-Erik Bäck: Die Kranichfedern. Klavierauszug. W. Hansen, Seite 43.
4. Anton Webern: II. Kantate Op. 31. Taschenpartitur. Universal-Ed., Seite 8.
5. Anton Webern: Kantate II (siehe Nr. 4), Seite 17.
6. Anton Webern: Kantate II (siehe Nr. 4), Seite 22.

Examples of Melodies from the Repertoire.

Here are presented a few examples of wide melodic quotations, mainly taken from the works by Anton Webern. After you have worked through these examples, a further study is recommended, (i.g. by Webern, Berg, Dallapiccola, Nono, Lidholm, Bo Nilsson).

1. Ingvar Lidholm: Fyra körer, No. 1. Nordiska Musikförlaget, Stockholm.
2. Sven-Erik Bäck: Crane Feathers. Piano score. W. Hansen, page 34.
3. Sven-Erik Bäck: Crane Feathers. Piano score. W. Hansen, page 43.
4. Anton Webern: II. Cantata Op. 31. Pocket ed., Universal-Ed., page 8.
5. Anton Webern: Cantata II (see No. 4), page 17.
6. Anton Webern: Cantata II (see No. 4), page 22.

7. Anton Webern: Kantate II (se nr 4), s. 40.
8. Anton Webern: Zwei Lieder op. 8. Universal-Ed., s. 7.
9. Arnold Schönberg: Stråkkvartett III. Fickpart. Philharm., s. 24.

7. Anton Webern: Kantate II (siehe Nr. 4), Seite 40.
8. Anton Webern: Zwei Lieder Op. 8. Universal-Ed., Seite 7.
9. Arnold Schönberg: Streichquartett III, Taschenpartitur, Philharm., Seite 24.

7. Anton Webern: Cantata II (see No. 4), page 40.
8. Anton Webern: Zwei Lieder Op. 8. Universal-Ed., page 7.
9. Arnold Schönberg: String quartet III, Pocket ed., Philharm., page 24.

(○ = c. 42)
5
der die Sü - - - - - - - sse liebt der rei - hen
Lie-be, die er voll ge- währt
(♪ = c. 168)
6
molto ff
Al - le Glocken, die Her - zen, wol - len wir
läu - ten, o, Men -schen! Nim - mer durch Räu-me
der Zeit, nim - mer ver - stum - me ihr Schlag! ——
(sehr getragen)
7
molto f
Weil es am Kreuz ver - stumm- te müs- sen wir ihm nach,

pp
f
p
pp
in al - len Ernst der Bit - ter - nis ihm fol- get un - ser Hauch.
8
(♩ = c. 44)
f
mf
Ach, in den Ar - men hab ich sie al - le ver- lo- ren,
mp
p
zart
p
p
rit.
du nur, du —— wirst immer wie-der - ge - bo - ren: weil ich
tempo
pp
rit.
pp
tempo
ni - mals dich an - hielt, halt ich dich fest.
9
(♪ = 60)